ОТТЕПЕЛЬ

Ирина Муравьева

ОТТЕПЕЛЬ

Чужим души твоей коснусь

РОМАН

ЭКСМО
МОСКВА
2014

Ирина Муравьева

Оттепель

Инеем души твоей коснусь

РОМАН

ЭКСМО

Москва

2014

УДК 821.161.1-312.4
ББК 84(2Рос=Рус)6-4
  М 91

Художественное оформление серии *А. Старикова*

Выражаем благодарность кинокомпании ООО «Мармот-Фильм»
и лично Валерию Тодоровскому и Дмитрию Давиденко
за предоставленный сценарий и кадры из телесериала
«Оттепель»

Муравьева, Ирина.

М 91   Оттепель. Инеем души твоей коснусь : роман / Ирина
Муравьева. — Москва : Эксмо, 2014. — 288 с. — (Оттепель. Кинороман).

ISBN 978-5-699-76717-5

На «Мосфильме» кипят страсти: Виктора Хрусталева, известного
оператора, арестовывают прямо на съемочной площадке. Его подо-
зревают в убийстве! Вся съемочная группа в смятении. Что будет с
фильмом? Как продолжить съемки? Марьяна, любовница Виктора,
делает отчаянную попытку помочь своему возлюбленному: призна-
ется, что в ночь убийства они были вместе. Но никто не восприни-
мает ее слова всерьез. Никто, кроме бывшей жены Хрусталева. Она
решает ему помочь. Но что движет прекрасной Ингой?

УДК 821.161.1-312.4
ББК 84(2Рос=Рус)6-4

ISBN 978-5-699-76717-5

Вступление

После вечеринки в доме Федора Кривицкого, известного режиссера «Мосфильма», оператор Виктор Хрусталев и сценарист Константин Паршин до утра сидели в привокзальном буфете. Выпито было очень много, но еще больше было ими сказано друг другу в эту ночь. Паршин упрекнул Хрусталева в том, что его отец, главный конструктор страны по ракетам, устроил своему сыну бронь в конце 1944 года. Не отдавая себе отчета, он надавил на самую больную точку: Виктор не забыл того, что все его одноклассники пошли на фронт и погибли, а сам он отсиделся в конструкторском бюро. Когда же зашла речь о сценариях самого Паршина, то Костя очень просто и беспощадно объяснил Хрусталеву, что ни один из его лучших сценариев не увидит света. Особенно безнадежно «протолкнуть» сценарий о войне, который называется «Детство Кости». Они пили и разговаривали, спорили, мирились и опять пили. Виктор почти не помнил того, как закончилась первая ночь, следующий день и вторая ночь.

Наутро Хрусталеву позвонили с «Мосфильма» и сказали, что Паршин выпал из окна и погиб. На его поминках Хрусталев столкнулся с Егором

Мячиным, выпускником ВГИКа, задиристым и талантливым человеком, который обратил на себя внимание тем, что безутешно плакал на похоронах. Почти случайно выяснилось, что именно у него и находится тот самый сценарий, о котором несколько дней назад Паршин рассказывал Хрусталеву. Более того, и у Виктора Хрусталева, и у Егора Мячина осталось два шутливых, на первый взгляд, «документа», а лучше сказать — завещания. Константин Паршин завещал свой сценарий им обоим: Мячину — режиссеру и Хрусталеву — оператору.

Директор «Мосфильма» Пронин категорически отказался даже обсуждать возможность экранизации паршинского сценария. Тогда Виктору удалось «перетащить» Мячина режиссером-стажером на съемки фильма Федора Кривицкого «Девушка и бригадир». Теперь вся надежда их была на то, что будущий успех фильма поможет им получить разрешение на создание ленты по сценарию покойного Паршина. Съемки «Девушки и бригадира» начались не самым веселым образом: счастливый и пьяный по случаю рождения дочки режиссер Кривицкий упал с партикабля и сломал себе копчик. Вся нагрузка целиком легла на плечи неопытного и нетерпеливого Мячина. Главные женские роли достались бывшей жене Хрусталева Инге и моло-денькой студентке МГУ Марьяне Пичугиной. Не только Марьяна получила роль главной героини Маруси, но и ее брат, Александр Пичугин, известный всей Москве закройщик и дизайнер одежды, стал в этом фильме художником по костюмам.

Между тем расследование подробностей гибели Константина Паршина продолжалось. Следователь уголовного розыска Цанин два раза вызывал к себе Хрусталева повесткой, требуя дать объяснения, как именно случилось то, что Паршин выпал из окна. Виктор впервые в жизни почувствовал себя так, как чувствуют люди, приговоренные к казни.

А тем временем вся съемочная группа вместе с Георгием Таридзе, директором картины, главным осветителем Аркашей Сомовым, над любвеобильностью которого все постоянно подсмеивались, народным артистом Геннадием Будником, играющим главную мужскую роль, помощницей режиссера Региной Марковной, оператором Люсей Полыниной и другими отправилась на съемки в одну из подмосковных деревень. Атмосфера любви-ревности-страсти дошла до своей кульминации именно сейчас: Марьяна любила Виктора Хрусталева самой глубокой и жертвенной любовью, мучаясь тем, что их роман, только что разгоревшийся в Москве, по желанию Хрусталева закончился. Это совсем не означало, что девушка перестала притягивать его. Дело было в другом: Хрусталев до сих пор не смог избавиться от чувства к Инге, своей бывшей жене и матери их тринадцатилетней дочери. Егор Мячин, случайно познакомившийся с Марьяной в ателье ее брата, с каждым днем понимал все острее, что их встреча была для него судьбоносной. Когда Марьяна, первый раз в жизни попробовав коньяк на вечеринке после начала съемок, поддалась его поцелуям и не оттолкнула его, как делала это раньше, Мячин потерял голову.

Ингу разрывали противоречия: она и презирала своего бывшего мужа, и тянулась к нему. Слишком сильным было и то, что когда-то соединило их, и то, от чего их шестилетний брак распался.

Через два дня после начала съемок произошло неожиданное для всех событие: за Хрусталевым приехала машина и его арестовали по подозрению в убийстве Константина Паршина.

Глава 1

В самом разгаре веселья, когда особенно душисты травы и особенно хороша глубокая летняя ночь с ее простодушными звездами, приехала машина, из которой вылез маленький, с тусклыми глазами человек, сопровождаемый двумя милиционерами, и сообщил, что оператор Виктор Сергеевич Хрусталев арестован по подозрению в убийстве сценариста Константина Анатольевича Паршина. И тут же надели на оператора наручники, маленький, с тусклыми глазами развалился рядом с шофером, милиционеры и арестованный втиснулись на заднее сиденье, и машина отъехала, подняв густую, сверкнувшую в свете фар проселочную пыль. Она скрылась за деревьями, а съемочная группа в составе пятнадцати человек так и осталась сидеть за столом, и первые несколько минут никто не произнес ни слова. Потом все заговорили очень бурно, перебивая друг друга и жестикулируя.

— Да что они, охренели, что ли? Взять и арестовать человека? Это не сталинские времена!

— Пускай нам сначала улики предъявят!

— А мы-то как зайцы! Надо было потребовать...

Но, выпустив пар в виде криков и ругательств, все опять замолчали, понурились и вскоре разошлись по своим комнатам, где в конце концов провалились в тяжелый и тревожный сон. Но спали не все. Режиссер Кривицкий вышел на крыльцо уже в пижаме, закурил, разгоняя ладонью комаров и разных других насекомых, и, судя по его напряженному и злому лицу, начал анализировать то, что произошло. Он хмурил брови, морщился, потом недоуменно поднимал глаза к звездам, потом опускал их и пожимал плечами. По всему было понятно, что режиссер разговаривал с какими-то невидимыми собеседниками, убеждал, спорил, негодовал и горячился. Докурив третью сигарету и раздавив окурок босой пяткой, Кривицкий, видимо, принял какое-то важное решение, глубоко вздохнул и пошел спать.

Инга Хрусталева, бывшая жена только что арестованного оператора, и Марьяна Пичугина, его девятнадцатилетняя любовница, лежали на кроватях, разделенных узкой ковровой дорожкой, не смотрели друг на друга и не разговаривали. Потом Инга встала, подошла к открытому окну, закурила и, кажется, всхлипнула. Но все это — тихо, сдавленно, словно гордость или какое-то другое чувство мешали ей.

Марьяна не плакала. Она смотрела на потолок широко открытыми, сухими глазами, но видела не эти неоштукатуренные доски с каплями застывшей кое-где смолы, поблескивающей в свете ночника, — она видела лицо Хрусталева, каким оно было в ту минуту, когда на него надевали наручники. Она видела, что он вдруг зажмурился, а потом быстро открыл глаза, но ни испуга, ни растерянности в них не было, а было, напротив, выражение какого-то облегчения, как будто он долго ждал, что все это должно произойти, и внутренне был готов к этому.

«Мне показалось! — думала она, снова и снова вспоминая его глаза. — Конечно же, мне показалось. Ведь он ни в чем не виноват! Он не мог ждать, что его арестуют!»

Сердце ее стучало, голова раскалывалась, руки и ноги были холодными как лед. В памяти выплыла страшная ночь, когда в комнате горела новогодняя елка, под которой лежала завернутая в золотую бумагу кукла, и вдруг позвонили в дверь, пришли незнакомые люди, перевернули все вверх дном и увели с собой папу и маму.

— Я не отдам его! — прошептала она, не сводя блестящих глаз с потолка. — Я лучше умру, но его не отдам!

Инга докурила, отошла от окна, кутаясь в свой белый платок, и осторожно легла, скрипнув кроватью.

— Марьяна, не спишь? Он никого не убивал. Он способен на все, что угодно, я это знаю, но убить или причинить кому-то физическую боль он просто не может.

Марьяна скосила глаза в сторону *его* жены. В деревне уже пели петухи, начало светать. Из сумрака выступил мягкий профиль Инги, завиток на высоком лбу, локоть.

«Она еще любит его! — вдруг поняла Марьяна и вся содрогнулась от своей догадки. — Она боится за него! Не так, как боятся за очень знакомого человека, не так, как за отца своей дочки, она боится потерять его, потому что он нужен ей, может быть, даже необходим, она с ним так и не рассталась до конца и никогда не расстанется, и они оба знают это...»

К завтраку все вышли с помятыми лицами, непричесанные, пряча друг от друга глаза. Только гримерша Лида, со своими белыми, вытравленными перекисью кудряшками, так сильно накрасила ресницы, что они стали похожи на мохнатых пчел, а платье надела шелковое, нарядное, с воланами, будто собралась на первомайскую демонстрацию.

— Егор Ильич! — заворковала гримерша, дождавшись спустившегося наконец с крылечка Егора Мячина, по воспаленному взгляду которого было видно, что он ни минуты не спал. — Егор Ильич! Я вам тут кашки уже положила, яичко почистила вкрутую, садитесь сюда!

Мячин рассеянно кивнул, но рядом не сел, а остался стоять, и видно было, что он тоже кого-то дожидается и нервничает. Марьяна и Инга появились почти одновременно. Инга выглядела спокойной, словно бы заледеневшей, а Марьяна осунулась и вся горела, как будто у нее подскочила температура.

Мячин близко подошел к ней, стараясь заглянуть в глаза.

— Я ждал вас, — тихо сказал он. — Я хотел вам сказать, что вы мне дороже всего и что я...

— Егор! — перебила она, покраснев то ли от досады, то ли от стыда за него. — То, что я вчера поцеловала вас, и то, что мы... ну, то, что мы с вами так целовались в лесу, это ни о чем не говорит... Я просто выпила и сама не помню, что это на меня нашло... Вы меня простите, пожалуйста...

— Конечно, — убито ответил Мячин. — Я тоже хотел вам сказать, что если вам лучше, чтобы я никогда не напоминал вам о том, что было вчера, то я никогда... То есть я не напомню вам... И сам постараюсь забыть.

— Да! Очень прошу вас! Спасибо! — пробормотала она и быстро отошла, налила себе стакан чаю из огромного, уже заваренного чайника, села поодаль на траву и стала рассеянно дуть на свой чай, не притрагиваясь к нему.

Последним вышел Кривицкий, хмуро оглядел съемочную группу, не поблагодарив, взял из рук Регины Марковны намазанную маслом булку с большим куском колбасы «Любительская», свежей, ярко-розовой, с жирком, и сообщил, что едет в Москву сначала к директору «Мосфильма» Пронину, а если тот откажется хлопотать за Хрусталева, то немедленно прямо в прокуратуру.

— А вы тут работайте! — повелительно сказал он. — И никаких истерик. Поеду и сам разберусь. Письмо напишите, пока я поем. Коллективный протест против задержания Хрусталева и... ну, как это там? Что мы за него все, короче говоря, ручаемся.

— Руча-а-а-емся? — протянул народный артист Будник. — Вот так вот: «ручаемся», да?

— Вот так вот: ручаемся! Да! — Кривицкий раздул ноздри. — А ты против чего возражаешь, Геннадий Петрович?

— Я не возражаю, я лишь уточняю. Меня самого один раз в кутузку загребли. Вступился за девушку, спас. Давно, правда, было. Приятного мало!

— Герой! — иронически воскликнул Кривицкий. — Не нам всем чета!

Он откупорил бутылку лимонада, с жадностью отпил половину и вскоре отбыл на служебной машине. Мячин приказал немедленно готовиться к съемкам. В гримерной Марьяна опять столкнулась с Ингой Хрусталевой, которая с тем же заледеневшим лицом сидела перед зеркалом, не отвечая на вопросы гримерши Жени, и смотрела на свое отражение мрачными и безучастными глазами. Марьяна села рядом. Лида быстро распустила ее длинные и пушистые волосы, сказав сквозь зубы: «Никаких укладок не нужно, они от природы такие», и по ее завистливо блеснувшему взгляду было видно, что этот факт не приносит Лиде никакой радости. Будник заглянул в дверь, попросил, чтобы ему припудрили лоб и слегка подкрасили губы.

— Теперь без Хрусталева, — присвистнул он, — мы все заблестим. Сколько надо мной операторов билось, чтобы лоб не блестел, вы себе представить не можете! И ни у кого ничего не получалось. Блещу! А как Хрусталев появился, так я перестал!

— Ну, что говорить? — вздохнула Лида, с такой силой начесывая и раздирая волосы Марьяны, словно она мстила ей за что-то. — О чем говорить? Мастер был!

— Почему вы говорите «был»? — не выдержала Марьяна. — Его ведь отпустят! Ведь это ошибка!

— Надеюсь, надеюсь, — беспечно махнул ладошкой Будник. — Хотя... кто там знает? Допьются до чертиков и — вот вам, пожалуйста!

— Скажите... — тихо попросила Марьяна. — Я не очень поняла: что там случилось?

— Был у нас на «Мосфильме» сценарист Костя Паршин. Говорили, что очень талантливый. Я этого мнения, честно говоря, не придерживаюсь, мне на его фильмах всегда так грустно было! — откликнулась Женя. — Ну, пили они с Хрусталевым. А потом Паршин вывалился из окна и разбился насмерть.

— При чем же здесь?.. — Она запнулась, не смогла произнести «Виктор», и глаза ее в зеркале стали растерянными.

— При чем здесь наш Виктор Сергеич? — уточнила Лида. — А кто их там знает! Правильно Геннадий Петрович говорит: «Допьются до чертиков»...

Марьяна резко встала с наполовину доделанной прической.

— Голова кружится! — сказала она. — Душный сегодня день, правда? Как же можно так говорить о человеке? Неужели вам не совестно? — Она быстро шагнула к двери, хлопнула ею и торопливо сбежала по ступенькам.

— Что это с ней? — недоуменно спросил Будник. — Мы думали, тише воды, ниже травы, а девушка с норовом!

Мячин бушевал на съемочной площадке. Готовые кадры пришлось три раза переделывать, генератор перегоняли в лес, возвращали обратно и снова перегоняли. Люся Полынина в насквозь пропотевшей ковбойке, взвалив на плечо неподъемную камеру, снимала вручную и тихо чертыхалась про себя.

— Если вы не хотите выполнять мои требования, — кричал Мячин, — я попрошу, чтобы мне прислали другого оператора!

— Да не могу я это снять! — не выдержала наконец Люся. — Вы тучку не видите, что ли?

— Плевал я на тучку! Снимайте, и все!

— Егор Ильич! — попробовала вмешаться Регина Марковна, полные ноги которой были снизу доверху покрыты волдырями от крапивы. — Я не первый год в помрежах хожу! Семнадцать фильмов на счету! А такого кошмара никогда не было! Вы посмотрите, что вы со мной сделали! Сказали, что будем снимать из оврага, а там ведь сплошная крапива! И я вам не девочка, Егор Ильич! Я вам не коза, чтобы по оврагам скакать!

— Я вас попросил, Регина Марковна, проверить исходную точку! — угрожающе перебил Мячин. — А есть там крапива или нет там крапивы... На это мне тоже плевать!

— Люся! — Регина Марковна тут же сменила требовательный тон на мягкий, медовый и заулыбалась светло. — Пойди, Люся, покури! Мы с Егором Ильичем тут кое-что обсудим. Рабочий момент!

И дождавшись, пока Люся, с мокрыми от обиды глазами, облокотилась на плетень, у которого главный герой Михаил должен объясниться в любви председателю колхоза Иринке, укоризненно сказала Мячину:

— Егор, иди в жопу! Нельзя так с людьми!

Мячин, не обращая внимания, проводил глазами тоненькую фигурку Марьяны, которая медленно обогнула Люсю, постояла на тропинке, ведущей к летней столовой, освещенная внезапно брызнувшим сквозь облака солнцем, зашла за деревья и скрылась.

— Ты слышишь, Егор? Я тебе говорю!

— Регина Марковна! — Мячин обернул к ней отчаянное лицо. — Почему она ходит такая убитая? Я про Пичугину! Смотрите: сама на себя не похожа!

— С чего веселиться, Егор? — разумно спросила его Регина Марковна. — Вот пообедаем сейчас, и я побегу на почту, надо в Москву звонить Кривицкому. Кто его знает, какие там новости? У меня у самой душа не на месте!

Глава 2

В столовой, устроенной хотя и на скорую руку, но очень уютной — деревянные некрашеные столы и скамейки под большим брезентовым навесом, на каждом столе стеклянная баночка с букетиком скромных, но свежих цветочков — сидела вся съемочная группа. Марьяны не было. Мячин обежал взглядом собравшихся и подошел к Александру Пичугину, вот уже вторую неделю работающему главным художником по костюмам.

— Санча! Где твоя сестра?

Санча разговаривал с развеселившейся Люсей Полыниной, которая смотрела на него влюбленными и счастливыми глазами.

— Сколько такая камера весит? — смеясь, спрашивал он, машинально поправляя завернувшийся воротничок на Люсиной блузке. — Небось я такую и не подниму!

— Ты что, меня хочешь в слоны записать? — И Люся всплеснула руками. — Умру, не скажу, сколько весит! Тяжелая, сволочь!

Марьяна появилась на пороге, подошла к раздаче, взяла стакан компота.

— Марьяночка, так не годится! — Регина Марковна схватила полную тарелку борща и с размаху поставила его на поднос. — Вот борщика нужно поесть! А то ведь ты ноги протянешь! Какие уж съемки тогда! Ешь по-быстрому!

Народный артист Геннадий Будник внимательно посмотрел на бледное и измученное лицо Марьяны.

«Что-то тут не то! — быстро подумал он про себя. — Скрывает! А что ей скрывать? Неужели это все из-за Хрусталева? И здесь он нас опередил!»

Инга села на соседний с ним стул и закурила. Будник брезгливо отогнал от себя сигаретный дым.

— Не бережешь ты свою красоту, дорогая! Разве с твоим лицом можно вдыхать в себя эту гадость?

Она устало покачала головой.

— Ты тоже голодовку объявила? — деловито осведомился Будник, откусывая половину малосольного огурца. — А очень напрасно. Готовят, как в Доме кино!

— Ну, ты за меня пообедай, — усмехнулась Инга. — У тебя, слава богу, все в порядке с аппетитом.

— Переживаешь? — догадался Будник. — Неважно, что бывший, а все-таки муж!

— Почти угадал. — Она посмотрела в окно и тут же встала. — Кривицкий приехал!

Влажный от жары Кривицкий в сдвинутой на затылок шляпе изо всех сил хлопнул дверцей машины и вошел в столовую. Красное большое лицо его было мрачнее тучи. Все замерли и напряглись.

— Я только что из прокуратуры, — негромко и хрипло сообщил он. — Дайте мне соку холодного. Во рту пересохло. Так вот. Докладываю: против Хрусталева выдвинуто серьезное обвинение. Доказано, что он был в комнате Паршина за несколько минут до убийства.

— Да что вы все как сговорились? — вдруг вскрикнула Инга. — Какое «убийство»? Он не убивал!

— Сосед Паршина по комнате опознал голос Хрусталева за несколько минут до того, как Паршин выпал из окна. — Кривицкий скосил на Ингу налитые кровью глаза. — Еще есть вопросы?

— Да, есть, — побелела она. — Еще бы не быть! Никто не может быть на сто процентов уверен, чей именно голос он слышит из-за стенки.

— Не может? — ядовито переспросил Кривицкий. — Прекрасно он может! Если за стенкой поселили звукорежиссера, он тебе и не такое расслышит! Ты пукнешь под одеялом, а он услышит!

Инга закусила губу, не зная, что ответить, но в этот момент вскочил Егор Мячин и изо всех сил стукнул половником по котлу, словно этот котел был колоколом на соборе.

— Федор Андреич! — звонко закричал Мячин. — Меня на вашу картину привел Хрусталев! Все знают, что я выпускник и у меня ничего за плечами нет! И я теперь, как человек чести, заявляю вам, что ухожу с картины, поскольку не имею к своей должности никакого отношения!

— Нет, вы посмотрите на них! Вы взгляните! — Ноздри Кривицкого раздулись до такой величины, что в каждую могла с легкостью влететь большая ширококрылая бабочка. — Он, понимаешь ты, человек чести! А мы, понимаешь ты, говно на палочке! Я так тебя понял?

Мячин уронил голову на грудь, что должно было означать одно: поняли его правильно.

— Работать иди! — заревел Кривицкий. — И чтобы я больше не видел, не слышал! Устроили мне тут... сеансы гипноза!

— Подождите! — прошептала Марьяна Пичугина. — Мне тоже... сказать! Очень важно!

— Еще одна! — Кривицкий схватился обеими ладонями за поредевшие виски. — Они уморить меня все тут решили! Давай говори! Только быстро! Два слова!

— В эту ночь... — прошептала она. — Мы в эту ночь... пили все вместе... Втроем! Я, Витя и этот... Ну, как его? Паршин. Мы пили всю ночь. А потом мы с Витей отвели Паршина к нему в общежитие, но мы не поднимались! Мы только до палисадника! А потом мы поехали... к Вите... И там опять пили. И я там осталась.

Хохот съемочной группы оборвал ее нелепое признание. Регина Марковна просто рыдала, черные потоки слез заливали ее щеки.

— Ой, я не могу! — задыхалась она. — Они, значит, пили всю ночь! Все втроем! Вместе с Паршиным! Я не могу!

— А вы говорите: «плохая актриса»! — торжественно произнес Кривицкий и с чувством поцеловал Марьяну в лоб. — Она еще всех вас за пояс заткнет!

— Да хватит же вам гоготать! Перестаньте! — низким ломким голосом простонала Инга. — Нашли развлечение! Спасибо, Марьяна! Хороший ты друг. Человечек хороший, но этим ему не поможешь.

— Работать! Работать! — захлопал в ладоши Кривицкий. — Все встали — и мигом работать!

У плетня Инга схватила его за рукав.

— Федя! Мне срочно нужно уехать! Срочно! Дай мне служебную на полдня!

— Что значит «уехать»? Сниматься кто будет?

— Но это важнее, чем съемки! Намного!

— Вот! — И Кривицкий затряс в воздухе указательным пальцем. — Вот почему из вас не получится великих художников искусства! Ничего из вас не получится! Потому что все вы думаете, что есть еще что-то «важнее» искусства! А нет ничего! Никогда! И не будет!

— Ты дашь мне машину?

— Машину? Бери! Но только отснимем хотя бы две сцены.

— Одну! А вторую отснимите с Женей! Ведь там же Ирина «сидит на поленнице»! Лица там не видно. Наденете Жене платок и отснимите. А я все озвучу.

Кривицкий безнадежно махнул рукой. Сцену отсняли, и служебная машина увезла Ингу Хрусталеву в город.

— Я, например, — весело сообщил Будник, — смогу и без нашей звезды весь фильм озвучить. Комар носа не подточит.

— «Нет! Не убивал! Что гогочете? Сволочи! — произнес он низким и ломким голосом отбывшей Хрусталевой. — Не мог он убить!»

Вокруг ахнули и восхищенно переглянулись.

— Учитесь, ребятки! — своим обычным басом сказал народный артист. — Кого разыграть — я всегда с удовольствием!

Глава 3

Мысль, пришедшая ночью в голову Инге, могла показаться наивной. Ее бывший муж легко наживал себе врагов, и очень может быть, что одним из этих врагов сейчас стал этот мелкоглазый следователь по фамилии Цанин. Кроме отца, никто Хрусталеву сейчас не поможет. В конце концов, это же сын, а не чужой человек! И то, что он ни в чем не виноват, не вызывает сомнений. Действовать нужно немедленно, пока не закрутилась страшная и мертвая юридическая машина, нельзя и до вечера ждать. Она не знала, где именно работает старший Хрусталев. Да и сын его тоже не знал. Во всяком случае, даже будучи женатыми, они никогда не говорили об этом. Но Нина? Жена Сергея Викторовича? Она же может подсказать, но захочет ли?

По телефону, разумеется, ни о чем таком говорить нельзя. Значит, нужно ехать сразу на Кутузовский. Возле огромного красного дома она попросила шофера остановиться.

— Вот здесь. Я недолго.

Консьержка сфотографировала ее глазами и набрала по телефону номер.

— Ниночка Аганесовна! Пришли к вам. Мне как? Пропускать? Какая-то дама. Вы кто? — обратилась она к Инге.

— Да вы ж меня десять раз видели! — не выдержала Инга.

— А хоть бы и двадцать! Фамилия как?

— Хрусталева.

— Идите, — сурово сказала консьержка. — Обратно когда?

— Минут через десять. От силы пятнадцать.

Нина открыла ей дверь. Слегка располневшая, очень красивая армянка с синеватым пушком над верхней губой, сгущавшимся над углами рта.

— Ой, Инга! — Золотисто-карие глаза ее радостно вспыхнули. — Входите, входите!

— Нина, я по очень важному делу.

Нина мягко втянула ее в прихожую. Длинные серебрянные серьги звякнули под тяжелыми волосами.

— Тем более: лучше в квартире. Хоть кофе-то можно сварить?

Инга опустилась на огромный диван, вытянула ноги и закрыла глаза. Сильно и очень приятно запахло свежемолотым кофе, потом немного подгоревшим сахаром и, кажется, ванилью. Нина, помешивая ложечкой черный густой напиток в маленькой позолоченной чашечке, вошла в гостиную. Инга открыла глаза ей навстречу, и мрачный, тяжелый их взгляд испугал Нину.

— Что? С Виктором что-нибудь?

— Он арестован.

Нина со звоном поставила чашечку на журнальный столик:

— Как так: арестован? За что?

— Ему предъявили обвинение в убийстве.

В двух словах рассказала все то, что знала сама. Нина слушала молча. Инга случайно взглянула в настенное зеркало и увидела два восковых женских лица: свое и Нинино. Ни в том, ни в другом не было ни кровинки.

— Я хочу поговорить с Сергеем Викторовичем, — выдохнула Инга. — Как мне найти его?

— Сейчас? До вечера не можете подождать?

— Не могу.

— Инга, родная! — в голосе Нины вдруг проступил сильный армянский акцент. — Я вам сразу должна сказать, что Сергей ничего не станет делать. Не будет он в это вмешиваться!

— Но сын же!

— Ах, Инга! — И Нина всплеснула руками. — Он ведь сразу испугается, что это отразится и на нем тоже! Разве вы не понимаете, *как* мы живем?

— Догадываюсь, — пробормотала Инга. — Но я все-таки хочу попробовать. Меня машина ждет внизу. Вы только скажите, как ехать. По Щелковскому?

— Доедете до развилки. Там будет знак, что дальше проезд закрыт. Но вы поезжайте. Увидите ворота с будкой. Это охрана. Скажете, что вам нужен Хрусталев. Ему позвонят. А я пока что его предупрежу. По телефону ничего объяснять не буду, нельзя.

В дверях они обнялись. Нина негромко всхлипнула.

— За Стаса все время боюсь, — шепнула она.

— Но Стасу же пять! Или нет? Уже шесть?

— Так что? Будет больше. Ну, с Богом! Удачи!

Весь их разговор занял не больше двадцати минут, но улица, только что вся ярко освещенная солнцем, потемнела, как будто уже наступил ранний вечер и все затаилось в предчувствии ливня. Доехали по Щелковскому до развилки.

— Дальше нам нельзя, — присвистнул шофер. — Секретный объект.

— Нам можно, — заверила Инга. — Его уже предупредили, нас ждут.

— Кого? — удивился шофер.

— Отца Хрусталева.

— Так он, значит, шишка? — Шофер с уваженьем мотнул головой.

Ворота. Секретный объект. Из будки выскочил молоденький солдат.

— Куда? Отгоните машину!

— Я к Сергею Викторовичу Хрусталеву! Его должны были предупредить!

— Машину сперва отгоните, — приказал солдат. — Сейчас позвонят Хрусталеву.

Через пятнадцать минут из проходной вышел ее бывший свекор. Увидел Ингу. Лицо его помрачнело.

— Ну, что там опять? Пойдем прогуляемся.

Дождь перестал. Они вошли в сумрачный сосновый лес. С лиловых иголок стекала вода, трава была ярко-зеленой, промытой. Инга рассказала об аресте.

— Паршин был алкоголиком. У алкоголиков часто случаются суициды.

— И чего от меня вы хотите? — внезапно перейдя на «вы», спросил он.

— Сергей Викторович! Он не виноват. Помогите ему!

— Раз не виноват, — подчеркнуто громко сказал Хрусталев, — то следствие выяснит.

— Но следствие может ведь и ошибиться...

— Наше следствие больше не ошибается, — так же громко сказал он.

— Я знаю, почему вы так говорите! — взорвалась она. — Вы до сих пор не можете простить ему, что это решение зацепиться тогда, в сорок четвертом, в конструкторском бюро...

— Что это решение я принял за него? — перебил свекор. — Да, принял. И что?

— Ему очень стыдно, что весь класс погиб... Никто не вернулся... Но он ведь себя обвиняет. А вас только косвенно...

— Я в ножки ему поклонюсь! Только «косвенно»! Спасибо, сынок, что отец тебя спас! Никто не вернулся? А он уцелел! — вдруг взвизгнул свекор и весь покраснел под шапкой седых волос. — Да, он уцелел! И несчастная мать еще пожила здесь, на свете! А так померла бы! По нашей вине!

Он перевел дыхание и спросил спокойным, будничным голосом:

— Все, Инга! Оставим пустой разговор! По Аське скучаю. Она сейчас с кем?

— Ее вчера тетка на дачу взяла.

— Вернется — поедет на дачу со мной. Стас каждый день ноет: « Где Ася? Где Ася?»

— Простите, что побеспокоила вас...

— Сказать, чтоб тебя до метро подвезли?

— Спасибо. Служебная ждет, на развилке.

Глава 4

В машине Инга закрыла глаза.

«Ничего не понимаю! — думала она, чувствуя, как с каждой секундой затылок все сильнее и сильнее наливается болью. — Ведь он ему сын! Как же так? Или это какая-то совсем особая порода людей?»

У аптеки она попросила шофера остановиться. Зашла и купила две пачки пирамидона. В аптеке было душно, многолюдно, от женщин пахло намокшими платьями. У молоденькой кассирши было мягкое, слегка похожее на Марьянино лицо. Тот же внимательный и доверчивый взгляд. У Инги бешено заколотилось сердце.

«А эта девчонка?! Почему она так переживает? Не ест и не пьет? И главное, что значит этот ее идиотский выпад: «Я осталась тогда ночью у Вити...» Какой он ей Витя?»

Дышать стало вдруг очень трудно.

— Гроза небось будет! — сказал кто-то рядом. — Ишь как обложило!

«Да, именно так! Обложило! — вздрогнула она. — Всех нас обложило! Его, меня, Аську...»

И тут же злоба, ревность и отвращение подкатили к самому горлу.

«Он спал с этой дрянью! И с ней тоже спал! А я хороша! Ведь она мне призналась! Она же ведь мне описала «любимого»! И я ей сказала: «Ну, точь-в-точь мой «бывший»! А это мой «бывший» и есть! Ха-ха-ха!»

Она вспомнила, как они с Марьяной отплясывали в кафе «Прага». И как им все хлопали.

«Я тут унижаюсь, обиваю пороги, а он развлекался, как мог! С кем хотел! И стыд какой, господи! Стыд-то какой! И я ей, соплячке, давала советы!»

Она достала носовой платок и насухо вытерла мокрые глаза.

«Все, что я сейчас делаю, я делаю для Аськи. У нас есть ребенок, и она не виновата в том, что у нее не отец, а неизвестно что!»

Она вспомнила, как вскоре после их развода Аська, маленькая, в замызганном платьице, забралась ей на колени и крепко обхватила ее руками. Дело происходило на даче: Инга сидела на ступеньках крыльца и читала какой-то сценарий.

— Зачем ты такая худая? — спросила ее шестилетняя Аська. — Потолстей.

— Но так же красивей, — ответила Инга.

— А если тебя станет больше, я зажмурюсь и буду думать, что обнимаю и тебя, и папу.

Вытирая выступившие слезы и смеясь, она вышла из аптеки, села рядом с шофером.

— Смешной анекдот рассказали небось? — спросил он.

— Ох, не говори! Зайдешь в магазин — уходить не захочешь!

Съемки закончились в шесть. Кривицкий был, кажется, доволен, а Мячин, как всегда, не очень. Ему все казалось, что красок не хватает, и он в сотый раз заставил Пичугина еще раз продумать каждую сцену с точки зрения ее цветовой выразительности.

— Может, нос покрупнее сделаем Михаилу? — приставал Мячин. — А то как-то мы слишком реалистичны. Внесем небольшой элемент клоунады?

— Нет, я думаю, не стоит, а вот если ему слегка испачкать белую рубашку двумя синими пятнами, как будто бы синька, то, может, и лучше. Что скажешь? — задумывался Пичугин. — И если Иринке прическу повыше, а щеки напудрить? Она волновалась. Приехал любимый из города! Хочется понравиться.

— Попробуем завтра, — сказал ему Мячин. — Иди отдыхай, ты весь день на ногах.

— Поссплю, пока этого героя-любовника, Сомова нашего, нет. Замучил он меня своими излияниями! Как луна, так он воет. Про Нюсю, про Тату, про злую судьбу! Обеих так любит, что просто сил нет!

— И Нюсю, и Тату?

— И Тату, и Нюсю. Главней все же Тата.

Мячин грустно усмехнулся.

Гримерши Лида и Женя только что сделали себе маски из земляники и лежали теперь рядышком с окровавленно-красными лицами, закрыв глаза. Разговаривали еле-еле, потому что артикуляция могла понизить волшебный эффект лесной ягоды.

— Нет, Люська его ни за что не округит! — неразборчиво бормотала Лида. — С ее этой челочкой, с дымом табачным! Когда ты целуешься с женщиной, Женя, на тебя должно веять ароматами райских садов, а не «Казбеком»!

— Да есть у него кто-нибудь. Точно есть! Ты хоть раз видела мужика, который за собой так ухаживает? Ни разу без свежей рубашки не вышел! А эти шарфы его! Я умираю!

Дверь открылась без стука, и Люся Полынина, у которой не было никаких шансов завоевать сердце модника и красавца Пичугина, ввалилась в эту скромную, пахнущую земляникой комнату. Лида и Женя вскочили в страхе. Люся, не ожидавшая увидеть двух окровавленных, полуголых женщин, пискнула и попятилась обратно.

— Дурная ты, Люська! Стучаться же нужно!

— Ну, раз у вас времени нет, я пойду...

— Куда ты пойдешь? Проходи вот, садись. Не на землянику! Сюда вот садись.

— Накрасьте меня, а? Ну так, как актрису. Хотя я, наверное, вам помешала...

Гримерши переглянулись.

— Да нет, мы свободны. Конечно, накрасим. Тебе лучше стрелочки или помягче?

Люся Полынина испуганно вспыхнула.

— Куда еще стрелочки? Я не Вертинская!

Лида и Женя наскоро избавились от остатков земляничной массы и принялись за дело.

— Держи подбородок повыше. Готова? — И Лида крепко обвязала Полынину простынкой. — Жень, давай сперва ей тон нанесем?

Деревенский день медленно и мягко догорал, и одинокая светло-зеленая звезда, неожиданно появившаяся в небе, смотрела бесстрастно и тихо. От реки несло вечерней пахучей сыростью. Через полтора часа неузнаваемая Люся с высокой прической, стараясь не двигать головой и не притрагиваться пальцами к своему новому лицу, осторожно уселась на поленницу, чтобы не пропустить загулявшего Аркашу Сомова, который делил комнату с Александром Пичугиным. Минут через десять Сомов появился, немного хмельной, беззаботный и бойкий.

— Вот это дела! Неужели Люсьена? — Он так и присел. — В Канны, что ли, готовишься?

— Аркаша, — опуская глаза так низко, что веки заболели, пробормотала Люся. — Я тебя очень прошу: погуляй еще часик. Погода хорошая, что дома париться?

— А с кем мне гулять?

— Сам с собой погуляй!

— А ты чего? Здесь, что ли, будешь сидеть?

— А я хочу Санчу проведать. Он болен, — сказала она, вся сгорая и морщась. — Мигрень у него. Он тебе говорил?

В хитрых глазах Сомова зажглось по лампочке.

— А как же? Конечно же, он говорил! «Никто, — говорит, — меня и не полечит! Лежу, — говорит, — как собака, один!»

Он подмигнул Люсе и сразу же куда-то улетел. Ватными ногами она подошла к двери, постучалась.

— Входите! Открыто! — пригласил приветливый голос Пичугина.

Люся вошла, вся красная, и замялась на пороге.

— Прическа красивая, — деловито заметил он. — А вот тени на веках я бы сделал серебристыми, а не голубыми. У тебя темно-серые глаза, но брови светлые, еле заметны, поэтому лучше серебристый цвет, это подчеркнет природные краски.

Люся заслушалась непонятных речей, и голова ее блаженно закружилась.

— Ну, как тебе, Санча, у нас на «Мосфильме»? — спросила она простодушно.

— На мой взгляд, здесь многое нужно менять! — оживился он. — Но в целом я очень доволен.

— Санча! — вдруг выпалила она. — Поцелуй меня, миленький! Я просто с ума по тебе схожу!

Пичугин отпрянул. Оператор Людмила Прокофьевна Полынина железными руками обхватила его за шею и, зажмурившись, поцеловала в губы так крепко, что верхняя губа у него сразу немного припухла. Пичугин побледнел и, судя по всему, испугался не на шутку.

— Не надо! Послушай! Я так не могу! Ты будешь жалеть!

— Я не буду жалеть! И требовать тоже не буду! Хотя бы разочек... Ну, Сашенька, милый!

И доверчивая Люся принялась через голову стягивать с себя неуклюжий свитер, открывая взору Пичугина застиранный лифчик на крепеньком неухоженном теле с веснушками.

— Не надо! Не надо! Оденься, пожалуйста! — в страхе повторял он.

— Я все поняла! У тебя женщина есть? — догадалась она, всхлипнув.

— Да нет у меня никого! — с досадой воскликнул Пичугин. — И нет, и не будет!

— Тогда, значит, я — некрасивая, да?

— Нет, ты — симпатичная! Ты очень даже...

— Не надо! Не ври мне! — Люся истерически зарыдала и запуталась в рукавах свитера, пытаясь натянуть его обратно. — Я все поняла!

Она выбежала из комнаты и хлопнула дверью, оставив Пичугина в печальном, но заслуженном недоумении. В коридоре Люся налетела на Ингу, только что вернувшуюся из Москвы. Инга посторонилась, и Полынина, даже не взглянув на нее, понеслась дальше.

«Им всем до себя! — подумала Инга. — Могла бы спросить ведь: как? что? А всем наплевать...»

Ей стало вдруг больно за своего бывшего, к которому эти люди тянулись, смотрели ему в рот, восхищались его операторским мастерством, но вот стоило ему оступиться, и рядом нет никого из них, а жизнь продолжается, жизнь не меняется, и ей безразлично, где он, что с ним.

Сейчас Инге, которая восемь лет презирала Хрусталева, сломавшего, как она думала, всю ее жизнь, нужно было проверить одну догадку, и если она подтвердится, то просто стереть в порошок эту дрянь! Эту зеленоглазую студеночку, хрупкий голосок которой просачивается прямо в кишки мужикам! В глубине души Инга удивлялась на себя саму: ей, давно разведенной с Хрусталевым, не должно быть никакого дела, с кем именно он спал вчера или месяц назад, ей нужно сосредоточиться, чтобы вытащить этого идиота из тюрьмы и не позволить нелепому стечению обстоятельств окончательно разбить жизнь их ребенка! Нашла, дура, время сейчас ревновать!

Она перевела дыхание и осторожно поскреблась в комнату Мячина.

— Егор! Вы не спите?

— Какое там сплю! — ответил ей сиплый, растерзанный голос.

— Егор! — прямо с порога начала Инга, внимательно следя за лицом режиссера. — Егор! Я знаю, что вы подозреваете моего бывшего мужа в интимной связи с этой вашей Марьяной...

— Да знаю я все! — заметался Мячин. — Какое уж «подозреваю», когда я уверен!

— Уверены, да? — вкрадчиво, не отводя своего пристального взгляда, повторила она. — А почему вы так уверены, а?

— Сказать вам? Скажу! Во-первых, я случайно обнаружил у него фотографию Марьяны! Она плавала в его ванне!

— Марьяна?!

— Да нет! Фотография! И когда я спросил, откуда она у него, он начал юлить и крутить! «Ты знаешь, шел в парке, случайно увидел, сказал, что снимаю натуру... она согласилась позировать...» Вранье! А потом я ее наблюдал... Марьяну! Она же в лице изменилась, когда увидела его в студии! Она же чуть в обморок там не упала! А он? Ведь он изозлился весь! Он ревновал! Ему это было как нож острый, что мы ее выбрали на роль Маруси! Он просто не мог этого вынести! Он ее и к Федору Андреичу ревновал, и ко мне, и даже к Борьке, осветителю!

— Не знаю. Вы, может быть, правы... — задумалась Инга. — Хотя... сейчас все уже не имеет значения. Его ведь осудят. Я чувствую это.

— Вы ездили в город?

— Да, ездила. Зря, между прочим.

Она провела рукой по лбу, «спокойной ночи» режиссеру не пожелала и, быстро постукивая шпилечками, прошла в ту комнату в самом конце коридора, которую делила с Марьяной. Вот эта в отличие ото всех остальных так и взвилась при ее появлении! Так вся затряслась!

— Ну, как он? Вы что-то узнали?

— Я что-то *узнала!* — прошипела Инга. — А *что,* догадайся!

И, прищурившись, ударила Марьяну по лицу. Марьяна вскрикнула и бросилась вон из комнаты. Инга тяжело добрела до своей кровати, сбросила туфли, легла и накрыла голову подушкой. За стенкой народный артист Геннадий Будник репетировал роль. Голос его то опускался до шаляпинского баса, то поднимался до визгливой бабьей частушки. Инга машинально прислушалась.

— Мамаша, шо з вами? — тоненько, как комар, пищал Будник.

— А з вами вот шо? — басил в ответ кто-то, массивный и грубый.

Она села на кровати, сжала виски. Потом, не надев туфель, побежала к Буднику. Народный артист сидел перед зеркалом в шелковой полосатой пижаме и сеточке на мокрых волосах.

— Ах, Инга! — сказал он кокетливо. — Рисково! А если б я был не один?

— Геннадий, послушай! Ты можешь помочь мне?

— Ингуша, я с полным моим удовольствием! Да ради тебя что угодно!

— Мне Виктора вытащить нужно.

— Побег из тюрьмы по подземному ходу? — спросил он, смеясь.

Инга приблизила губы к сеточке и почти прижала их к розовому уху народного любимца:

— Но только клянись: никому никогда!

— Клянусь, — ответил ей Будник.

Глава 5

В шесть часов утра Инга уже бежала по росистой траве к почте, где хмурая заспанная телефонистка в огромных наушниках долго и безуспешно соединяла ее с Москвой и наконец все-таки соединила.

— Хрусталев, — коротко ответил ей голос бывшего свекра.

— Сергей Викторович! — задохнулась она. — Я разбудила вас?

— Нет, — так же коротко ответил он.

— Простите, что рано звоню. Мне нужен хороший адвокат. Виктору нужен хороший адвокат. Больше ничего. И всего на пару часов.

Он помолчал.

— Я понял.

— Найдете?

— Найду.

Следственный эксперимент назначили на вторник. Накануне Инга Хрусталева и Геннадий Петрович Будник коротко рассказали Федору Андреичу Кривицкому, в чем именно будет заключаться этот эксперимент, а заодно и попросили служебную машину для поездки в Москву. Кривицкий схватился за голову обеими руками.

— А если ничего не получится?

— Должно получиться, — угрюмо сказал Будник. — В любом случае мы ничем не рискуем.

— Как только они согласились на такой эксперимент? — спросил Кривицкий

— По закону, Федя, все по закону! — ответила Инга. — Предъявленное обвинение целиком построено на «профессиональной компетентности свидетеля», то есть этого самого звукорежиссера, который якобы слышал Витин голос через стенку. Вот это и нужно опровергнуть.

— Ну ладно, езжайте, — тяжело вздохнул Кривицкий. — Желаю успеха.

Двери в общежитие «Мосфильма» редко закрывались наглухо. Всегда кто-то либо входил в комнату, либо оттуда выходил, и что-то там пили, и ели, и ругались, играли на разных музыкальных инструментах, громко соблазняли женщин, громко расставались с ними и еще громче мирились. Короче, общежитие было местом весьма оживленным и беспокойным. Однако сейчас, в одиннадцать часов утра, дверь в комнату покойного Паршина была закрыта, и был ли кто в этой комнате или же она пустовала, собравшихся свидетелей и понятых не оповестили. В соседней с этой комнате находилось несколько человек: следователь Цанин, человек невзрачный, тусклый, но видно, что цепкий и очень недобрый, коротенький эксперт Слава, гораздо больше похожий на преуспевающего зубного врача или директора комиссионки у площади Трех вокзалов, чем на мужественного сотрудника уголовного розыска, вахтерша, сантехник, адвокат Василий Самуилович Розанов, спокойный, с кудрявыми пушкинскими бакенбардами, в очень красивых ботинках с узкими носами, и звукорежиссер Григорий Померанцев, издерганный и нервный, как и полагается любому, кто с детства обречен на то, чтобы иметь дело со звуками.

— Граждане понятые! — громко и торжественно обратился Цанин к сантехнику и вахтерше. — Вы приглашены сюда для участия в следственном эксперименте, цель которого состоит в том, чтобы убедиться, сколько человек находится в соседней комнате...

— Минуточку! — Адвокат вскинул указательный палец, и острые носки его башмаков быстро раздвинулись в разные стороны, как мордочки двух суетливых ежей. — Минуточку! Цель нашего эксперимента — убедиться в профессиональной компетентности присутствующего здесь свидетеля товарища Померанцева.

— Убедиться в достоверности свидетельских показаний... — сморщившись, перебил его Цанин.

— Э, нет, извините! — Адвокат еще энергичнее задвигал башмакми. — В протоколе подчеркнуто, что свидетель — опытный звукорежиссер. Не так ли?

— Ну так, — насторожился Цанин. — А разница в чем?

— Как в чем? — наигранно весело удивился адвокат. — Ведь, кроме товарища Померанцева, никто не слышал голоса Виктора Хрусталева из комнаты покойного Константина Паршина?

— Продолжим, — сдерживая раздражение, сказал Цанин. — Свидетель, а также и все мы находимся в комнате, соседней с той, в которой было совершено преступление...

— Вы называете самоубийство преступлением? — с печалью в голосе перебил его адвокат. — Я даже готов согласиться с вами в высшем, так сказать, смысле слова... Но в данном случае...

— В данном случае я попросил бы вас не цепляться ко всякой ерунде! — покраснел следователь, и бесцветные глаза его злобно расширились.

— Работа такая... — Адвокат развел руками. — Привычка выработалась с годами, вот в чем дело. Я уж и сам не рад...

— Дверь в соседнюю комнату охраняется сотрудниками милиции в количестве двух человек, — отчеканил Цанин. — Так что можете быть уверены в том, что никто не выйдет и никто не войдет в эту комнату во время эксперимента. Итак, начинаем.

Послушный коротенький Слава быстро выскочил в коридор, отдал какое-то распоряжение и тут же вернулся. В соседней комнате проснулась жизнь. Находящиеся в ней люди перебивали друг друга, громко спорили о чем-то, смеялись и возмущались. Звукорежиссер Померанцев, весь обратившись в слух, то удивленно приподнимал брови, то хмурился, то радостно улыбался. Видно было, что следственный эксперимент доставляет ему огромное профессиональное удовольствие. Через десять минут Цанин хлопнул в ладоши. Слава опять высунулся в коридор и крикнул, что эксперимент закончен.

— Ну что? — напряженно спросил Цанин

Звукорежиссер на секунду прикрыл глаза, как будто он готовился то ли запеть, то ли заиграть на рояле.

— В комнате трое мужчин. Одному лет пятьдесят, голос прокуренный, к тому же он, вероятно, простужен, сипит, разговаривает с трудом, второй — гораздо моложе, голос тонкий, почти визгливый, интонация несколько базарная, третий немного картавит и изредка проглатывает слова. В разговоре участвовала также и пожилая женщина, речь у нее малообразованная, с простонародными вкраплениями и повышением голоса к концу предложений...

— Все? — не глядя на Померанцева, со злостью спросил Цанин.

— Да, вроде бы все.

— Граждане понятые, — обратился Цанин к вахтерше и сантехнику. — Вы слышали, что, по утверждению товарища звукорежиссера, в соседней комнате находятся четверо? Трое мужчин и женщина?

Вахтерша и сантехник закивали.

— Тогда попрошу всех пройти в соседнюю комнату. От вас потребуется подписать протокол, в котором будет указано, сколько человек вы увидели лично, своими глазами, и сколько человек предположительно указал свидетель.

Милиционеры, дежурившие у двери, почтительно посторонились.

— Пропустите нас! — повелительно сказал Цанин.

Взору присутствущих открылась скромная комната покойного сценариста, на аккуратно застеленной постели которой сидел народный артист Советского Союза Геннадий Петрович Будник и смотрел на них.

— Здравствуйте! — женским голосом с простонародной деревенской интонацией сказал народный артист. Он сделал короткую паузу. — Входите, пожалуйста, располагайтесь! — добавил он тут же прокуренным басом. — Со стульями вот непорядок, беда! — визгливо перебил он самого себя и засмеялся угодливым дребезжащим смехом.

— Достаточно, достаточно! — замахал руками Цанин и обратился к красному как рак сантехнику: — Сколько человек вы видите в этой комнате?

— Дак сколько? — Сантехник слегка заикнулся. — Один вот сидит...

— А вы? — спросил следователь у вахтерши.

— Вижу одного знаменитого нашего артиста товарища Будника, — бойко ответила вахтерша. — Здравствуйте, товарищ Будник!

У звукорежиссера закатились глаза.

— Бессовестный! — пробормотал он про себя.

— Я с вами согласен! — живо откликнулся адвокат и поскреб бакенбарду. — От всего сердца разделяю ваше мнение! Ну разве это не бессовестно строить обвинения в убийстве на ТАКОГО рода показаниях?

Инга сидела на лавочке перед общежитием, смотрела на всех, кто входил и выходил, провожала глазами высокие прически молоденьких девушек, голые плечи, чьи-то блестящие на солнце лысины...

«Что я скажу Аське, если ничего не получится? — стучало у нее в голове. — Что ее отец никого не убивал и его осудили напрасно? Или что он спьяну столкнул с шестого этажа сидящего на подоконнике знакомого сценариста?»

Первым появился адвокат. Инга побледнела так сильно, что он сразу же заулыбался и замахал обеими руками.

— Все в полном порядке! Размазал по стенке! Вы его через пару часов можете забрать из СИЗО! Они заполнят свои бумажки и выведут его вам целого и невредимого! Отдохните пока, на вас лица нет. Кофейку с коньячком, бутербродик... Ну, я побежал. Меня заждались. Поклон Сергею Викторовичу!

Следом за ним вышел Будник, довольный и румяный. Она тут же отправила его обратно в деревню, на съемки, хотя он рвался увидеть Хрусталева и сообщить, что Хрусталев именно ему обязан сейчас своим освобождением.

— Бери нашу машину и езжай! — Инга крепко поцеловала его в щеку. — Кривицкий там небось с ума сходит: мы его без транспорта оставили! Да и шофера пора отпустить. Я Витьке все объясню, он в долгу не останется.

Будник скривился:

— Какие ты пошлости говоришь, родная! Умная женщина, а мелешь черт знает что! Для меня друга спасти — прямой человеческий долг!

Глава 6

Прошло ровно два часа, прежде чем его отпустили. Она стояла напротив СИЗО, докуривала последнюю сигарету из пачки. В первый момент Хрусталев показался ей каким-то отрешенным. Словно все, что произошло, не имело к нему отношения. Он прищурился на яркий свет и постоял несколько минут, не двигаясь, только потирая виски.

— Витька! — прошептала она и обняла его так крепко, как будто он вот-вот исчезнет.

Обеими ладонями он обхватил ее за плечи и внимательно посмотрел в глаза, словно пытаясь понять что-то. Она не выдержала и заплакала. Тогда он поцеловал ее в губы, в висок, в переносицу и зарылся лицом в ее густые, слегка пахнущие табаком волосы.

— Ну вот, вот! — бормотала она, чувствуя, что начинает громко рыдать и не может остановиться. — Вот видишь? Такие дела...

В такси она вытерла слезы.

— На Шаболовскую, пожалуйста.

— Подожди, — пробормотал Хрусталев, — давай лучше ко мне заедем, возьмем мою машину, а такси отпустим.

— Мы едем *домой*, — оборвала она. — Ты слышишь меня? Мы домой сейчас едем.

Хрусталев промолчал. В кухне на Шаболовской, к счастью, никого не было. Аська по-прежнему жила у тетки на даче. Они проскользнули к себе, и Хрусталев сразу же рухнул на диван.

— Поспи, — прошептала она. — Я принесу тебе поесть. Аська всегда оставляет полный обед в холодильнике. На всякий случай...

— Сядь! — Он схватил ее за руку и, не открывая глаз, с силой усадил рядом. — Поесть я успею. Я должен тебе кое-что рассказать.

— Что? — спросила она со страхом.

— Ты действительно думаешь, что я ни в чем не виноват?

— Ты разве был... в комнате?

— Да, — глухо сказал Хрусталев, открыв глаза с красными полопавшимися сосудами. — Я был там. И мы говорили. До вчерашнего дня я помнил только последний кусок из нашего разговора, когда он сказал, что отец спас меня от фронта за счет тех, которых некому было спасать, они пошли, и им разворотили кишки. Это было в самом конце. Но после этого мы обнялись, и я ушел. Хотя только что чуть не убили друг друга. У пьяных людей так бывает. Они ведь то дружат, а то нападают. Но до этого... — Он замолчал и опять закрыл глаза.

— До этого? Что? — пробормотала она.

— Вчера я вдруг вспомнил, что было *до этого*. До этого он прочел мне кусок из своего сценария «Детство Кости». Там мальчишка возраста нашей Аськи попадает к немцам, и один из этих немцев помогает ему убежать. Потому что этот мальчишка слегка похож на его сына. Да и не только поэтому. Просто потому, что он нормальный человек. Я сказал ему, что такой сценарий никогда не пропустят.

— А он что?

— Он сказал, что отлично это понимает. Потом он совсем соскочил с катушек и заорал, что ему все надоело и он хочет все это оборвать разом.

А я решил привести его в чувство. Но я сделал это так, что...

Хрусталев громко сглотнул слюну. Инга ни разу в жизни не видела его плачущим, а сейчас слезы, настоящие мутные слезы, ползли по его щекам, и он вытирал их рукавом грязной рубашки.

— Я сказал ему, что *мне никогда* не хотелось и не захочется ничего «оборвать». А те, кому этого хочется, должны не болтать, а делать. А то несолидно.

Теперь он не просто плакал, он рыдал, стискивая зубы и захлебываясь. Небритая щетина на лице была горячей и мокрой.

— Ты слышала, *что* я сказал?

Инга изо всех сил прижала его голову к своей груди и начала судорожно целовать его влажные от пота волосы.

— Ну, Витька! Ведь ты не хотел! Ведь это случайность! Да он и не слышал тебя, он был пьян...

Теперь они лежали рядом, крепко обнявшись, и Хрусталев уже не рыдал, он громко стонал и стучал зубами. Крупная дрожь колотила его, хотя в комнате было очень тепло. Она быстро стащила с себя блузку, чтобы согреть его своим телом, и тогда он начал мягко и быстро покрывать поцелуями ее грудь, как делал когда-то давно, когда они жили вместе и назывались мужем и женой.

— Ох, господи! Что ты! Зачем? — шептала она, но он зажал ей рот поцелуем, и больше они не сказали ни слова.

Кривицкому принесли телеграмму: «Ждем машину шаболовке будем вечером хрусталевы». Кривицкий схватился за сердце, которое внезапно дало о себе знать легким покалыванием.

— Без ахов! Без охов! — строго сказал он обступившей его съемочной группе. — Освободили. Геннадий Петрович ни слова не преувеличил. Вчера. Приедут сегодня. Попозже. Машину пошлю. Всем работать.

Марьяна прислонилась к дереву, подняла к небу лицо и что-то негромко шепнула, как будто благодарила за освобождение Хрусталева эти белые размашистые облака. Будник обиженно усмехнулся.

— А я говорил, мне не верили! Вообще, меня, кажется, тут просто терпят...

Поскольку весь коллектив привык к тому, что Геннадий Петрович, будучи человеком избалованным, может ради красного словца позволить себе все, что угодно, на него особенного внимания не обратили и продолжали тихо бунтовать против требований безумного режиссера Егора Мячина, который просто как с цепи сорвался. Утро началось с того, что он послал Аркашу Сомова в колхоз за белой лошадью. Аркаша вернулся через полтора часа, волоча с собой на веревке упирающуюся белую козу. Коза блеяла так, что сердце разрывалось.

— Я лошадь просил, — свирепо сказал режиссер.

— Да нету же лошади! Нету, Егор! Козу еле дали!

— Но мне нужна лошадь, — повторил Мячин.

На лице Аркаши Сомова ясно читалось все, что он хотел бы сказать этому человеку, но он ничего не сказал, махнул рукой и потащил козу обратно. Кривицкий наблюдал за работой своего стажера со стороны, вмешиваться не вмешивался, но иногда глубоко задумывался, и чувствовалось, что он выжидает, не зная, в какую сторону подует ветер.

Брат и сестра Пичугины вели себя очень по-разному: насколько тиха и сосредоточенна была Марьяна, настолько жизнерадостен и оптимистичен был ее брат, взявший в свои руки все художественное оформление будущего фильма. Кроме красного чемодана, с которым должна была приехать из города Маруся в исполнении его сестры Марьяны, и белой лошади, которую именно он посоветовал Егору включить в кадр, кроме мостика через ручей с плывущим по нему обрывком газеты Санча нафантазировал таких костюмов, что одному только Васе-гармонисту, роль которого играл Руслан Убыткин, перемерили шесть разных рубах: от темно-синей до ярко-розовой. Кривицкий терпел, но Регина Марковна, знающая мимику лауреата как свои пять пальцев, понимала, что ей придется вот-вот предупредить Мячина, чтобы он не перегибал палку. Молодая жена Кривицкого Надя то ли оттого, что ей недавно запретили кормить трехмесячную Машу, поскольку молоко ее нашли слишком жирным, то ли оттого, что разлука со знаменитым мужем давалась ей нелегко, начала бомбардировать его телеграммами, в каждой из которых содержалось признание в любви, тревога за его здоровье и сдержанные намеки на какую-то женщину, из-за который Федор Андреич якобы и перестал звонить домой и ни разу не выбрал время, чтобы навестить семью на даче. Сельский почтальон, на сизый румянец и широкие плечи которого заглядывался художник Пичугин, явно представляя себе, каким Жераром Филиппом можно нарядить этого светловолосого и круглоглазого Степана, три раза в день доставлял режиссеру Кривицкому телеграммы. Кривицкий только крякал, разрывая плотные серые конвертики. «Сама приеду люблю беспокоюсь никого не потерплю целую сто раз твоя Надя», — прочел он в последней. После этого Федор Андреич попросил, чтобы его подбросили на почту, хотя туда можно было преспокойно дойти через поле за двадцать минут. Вскоре за столичной знаменитостью прислали телегу, щедро устланную сеном. Лошадь, впряженная в нее, была не той белоснежной красавицей, о которой мечтал Егор Мячин, а старой, простой деревенской кобылой с влажными, словно маслины, глазами и копытами, густо обляпанными навозом. Усевшись на сено и обменявшись рукопожатием со стариком Фокой, в распоряжении которого находились и лошадь, и телега, Кривицкий, мягко покачиваясь, отбыл на почту, где заказал себе междугородний разговор. Слышно было плохо, все время врывался какой-то колокольний звон, хотя никаких церквей в округе давным давно не было.

— Феденька! — надрывалась жена, стараясь перекричать торжественные удары несуществующего колокола. — Любимый мой зайчик! Когда ты вернешься?

— Надя! — раздувая ноздри, повторял Кривицкий. — Прошу тебя: успокойся! Ведь я же на съемках! Ведь мы тут работаем! Не капусту солим!

— Феденька! Сердце мое что-то чувствует! Я ночи не сплю! Скажи мне, что ты меня любишь! Что очень! Что очень-преочень!

Оглядываясь на скромную телефонистку и прикрывая рот ладонью, Кривицкий бормотал «очень-преочень», но Надя не успокаивалась:

— Что «очень-преочень»? Нет, ты скажи как!

— Люблю тебя очень-преочень-преочень! Мне нужно работать! Актеры на точках! Все, Надя! Целую!

Федор Андреич, крякнув, бросил трубку, расплатился за бессмысленный междугородний разговор, сел на телегу и поплыл обратно, душою и телом отдыхая в этом солнечном, наполненном летними запахами, цветочном море. Люся Полынина, которой Надя тоже посылала по две-три телеграммы в день и мучила ее вопросами, что же на самом деле происходит с ее неузнаваемо изменившимся мужем, как раз в это время вбежала на почту, вытирая мокрый лоб рукавом клетчатой ковбоечки.

— Девушка! — обратилась она к молчаливой телефонистке. — Дайте мне Москву! Ненадолго!

Опять раздался колокольный звон, зашуршали в трубке мощные ангельские крылья, и полный слез голос Нади сказал ей тоскливо: «Але!»

— Надька! — закричала Люся. — Ну, что ты рыдаешь? Он жив и здоров! Волнуется он за работу! Не двигаемся ни черта!

— Не двигаетесь? — удивилась Надя Кривицкая. — А он мне сказал: «Все актеры на точках»!

— Какое «на точках»? — махнула рукой простодушная Люся. — До точек еще далеко!

— Ах, вот оно что! — И голос Надежды сорвался на шепот. — Ах, он еще врет! Ну, посмотрим!

Надя бросила трубку, и растерянная Люся побрела обратно на съемки. Знал бы кто на свете, как разрывалось ее собственное сердце! Какой болью было оно переполнено, каким отчаянным стыдом! Она старалась даже глазами не пересекаться с Пичугиным. Во время обеда отсаживалась от него как можно дальше. Если ей нужно было что-то спросить или уточнить какую-нибудь мелочь, она делала это через других, будь то Регина Марковна или Аркаша Сомов, но сама не подходила, словно не видела его, не замечала, словно Пичугин был частью этого прозрачного воздуха, а не живым, с умными, быстрыми глазами и необыкновенно аккуратной прической молодым мужчиной. Она знала, что никогда не полюбит никого, кроме него, и знала, что никто и никогда не полюбит ее, Люсю Полынину, некрасивую женщину и весьма посредственного оператора.

Регина Марковна билась изо всех сил, пытаясь собрать всех актеров «на точки». Измученное лицо Регины Марковны было цвета того самого красного чемодана, который оказался так необходим Егору Мячину в сцене первого появления Маруси на колхозной площади.

— Где Будник? — надрывалась Регина Марковна. — Где Гена? Кто его видел?

— Он, кажется, к себе ушел, — испуганно прошептала гримерша Лида, белыми пухлыми пальчиками взбивая на лбу кудряшки.

— К себе? Он совсем охренел?

Будник лежал на кровати, отвернувшись лицом к стенке, и на шумное появление Регины Марковны никак не отреагировал.

— Это как понимать? — обмахиваясь платком, спросила Регина Марковна.

Народный артист глубоко вздохнул, но ничего не ответил.

— Геннадий Петрович, вы что? Охренели? — вежливо удивилась Регина Марковна. — Вы почему улеглись отдыхать в рабочее время?

Будник упорно молчал.

— Гена! — взревела она наконец. — Ты слышишь меня? Что с тобой?

Народный артист вдруг привстал на кровати.

— Регина! Я понял всю правду! Она мне открылась!

— Какую еще, к черту, правду, Геннадий?

— Я понял, что работаю старыми штампами и совершенно не подхожу для своей роли! Это молодое кино! Это новаторское кино! Оно, можно сказать, грозит утереть всем носы в Голливуде! А я? Я — старье, я только все порчу, Регина!

— Иди, Гена, в жопу! — устало сказала Регина Марковна. — Пусть с тобой режиссер разбирается!

И хлопнула дверью с досады.

Через пять минут в комнату Будника ворвался Егор Мячин.

— Геннадий Петрович! Вся группа вас ждет!

Будник замотал головой.

— Клянешься, что скажешь как есть?

— Что «как есть»?

— Нет, ты поклянись мне сначала, Егор! Потом я задам свой вопрос.

— Не буду я клясться! — набычился Мячин.

— Тогда не спрошу.

— Ну, ладно. Клянусь!

— Ведь ты меня не по собственной воле пригласил на роль Михаила? Ну, правда, Егор!

— С чего вы вдруг взяли?

— С чего я вдруг взял? А помнишь, как ты мне сказал на поминках? Что ты в свои фильмы меня не возьмешь?

— Геннадий Петрович! Я вас очень прошу: забудьте вы о моих словах! Я пьян был, я сам их не помню!

— А я очень помню, Егор!

— Ну, ладно! Простите меня. Я дурак.

61

— Я с этим не спорю, — вдруг тихо и ласково сказал народный артист. — Но мне подтверждение нужно, Егор. А то я себя самого разлюблю, и тут уж такое начнется, Егор! Такое начнется, что ужас! А лучше сказать: ужас, ужас! Вот так.

— Клянусь вам, что мы только вами и держимся, — сказал Мячин и всмотрелся в порозовевшее лицо Будника. Прежнее выражение благодушной уверенности возвращалось на это лицо, как солнце, внезапно застланное тучей, плавно и добродушно возвращается обратно на поляну.

— Да, надо спешить, — деловито сказал Геннадий Петрович, поднимаясь с кровати и приглаживая волосы перед настенным зеркалом, — а то мы с тобой что-то здесь заболтались.

Прямо к съемочной площадке подкатила служебная машина, из которой спокойно, слишком уж спокойно и сдержанно, вышли Инга и Виктор Хрусталевы. Таридзе подошел к ним первым и крепко обнял Хрусталева:

— Я знал, что так будет!

— Он от нас удрать хотел! Думал, ему там, в тюрьме, работенку предложат полегче! А от нас не удерешь! — засмеялся Кривицкий.

Гримерши и осветители обступили приехавшую парочку, заахали, заохали, начали трясти Хрусталеву руку, обнимать Ингу.

— Смотрите, Инга Витальевна, а он у вас даже и не похудел! — воскликнула гримерша Лида. — Или вы его уже успели в ресторан завезти?

— Дома накормила, — с вызовом ответила Инга. — Мы успели домой заехать.

Марьяна стояла в стороне, не подошла, не произнесла ни слова. Хрусталев нашел ее глазами, помедлил немного и вдруг решительно направился прямо к ней.

— Мне тут успели рассказать, как вы меня пытались защитить, — сказал он, усмехнувшись и не глядя ей в глаза. — Я очень признателен. Но, право, не стоило.

— Я хотела вам помочь, — прыгающими губами выдавила она. — Я понимаю, что получилось очень глупо.

— Нет, вовсе не глупо. Немножко наивно.

— Ну, это как вышло... Еще раз простите.

— Спасибо, — сказал Хрусталев.

Они встретились глазами, и она испугалась, что заплачет. Сердце ее словно остановилось, лоб стянуло, она стала быстро и сильно бледнеть, полуоткрыла губы. Хрусталев сердито посмотрел на нее и сразу же отошел. Мячин начал что-то объяснять Таридзе, поминутно оглядываясь на Марьяну. Регина Марковна захлопала в ладоши:

— Актрисы! На грим!

— На грим так на грим! — весело отозвалась Инга. — Пойдемте, Марьяна!

Марьяна взглянула на нее почти в страхе: «Неужели можно так притворяться? Неужели они все такие притворщики? Или это я чего-то не понимаю? Я знаю одно: я не подхожу им всем, они не такие, как я, как бабушка. Даже Санча, хотя он и делает вид, что ему очень уютно здесь, даже он не такой, как они...»

Когда три дня назад Инга залепила ей пощечину, она, не помня себя, убежала и почти до утра просидела на лавочке, стуча зубами и пытаясь согреться. Она не знала, на что решиться, как поступить, куда деваться, и ей казалось, что нужно быстро собрать свои вещи и, пока все еще спят, дойти до шоссе, поймать попутку, вернуться домой, лечь за шкаф и плакать, и плакать, и плакать, ничего не объясняя бабушке, потому что бабушка сразу умрет от разрыва сердца...

К утру стало легче. Солнце, незаметно подкравшееся слева, начало согревать ее руки и плечи, успокаивая, ободряя, и в этом тепле, в этом еще робком золотистом свете, который медленно, словно сомневаясь в своих силах, разгорался вокруг, она туго заплела волосы в косу, вытерла слезы, перестала дрожать и, решительно поднявшись, прошла по коридору, толкнула дверь в ту самую комнату, из которой, как обоженная, выскочила несколько часов назад. Инга спала или притворялась, что спит. Марьяна сняла платье и легла на свою кровать, отделенную от кровати _его_ жены узкой домотканой дорожкой. Больше они не разговаривали. На съемках и та, и другая делали вид, что ничего не произошло. Вся группа знала, что сегодня утром Инга и Будник уехали в Москву встречаться с адвокатом Хрусталева, но Кривицкий, посвященный во все подробности, помалкивал, и когда слишком уж прямая и бесхитростная Люся Полынина спросила за обедом: «А Гена-то там им зачем?», раздул по своему обыкновению ноздри и ничего не ответил.

Когда Хрусталев подошел к ней и с каким-то странным выражением на лице, не глядя ей в глаза, поблагодарил за этот ее идиотский поступок, Марьяне показалось, что он подошел попрощаться. То, чего она так боялась со дня первой встречи, от чего просыпалась иногда в холодном поту посреди ночи и долго не могла уснуть, борясь с желанием позвонить ему, лишь бы услышать, что _все в порядке_, — сейчас это произошло. Он бросил ее. Теперь, как человеку, потерявшему зрение, ей нужно будет учиться жить в темноте и передвигаться ощупью.

Хрусталев стоял у плетня и обсуждал с Мячиным текущие дела.

Глава 7

— Так лошадь ты хочешь в тени или как? — донеслось до Марьяны.

— Я хочу, чтобы она стояла, еле различимая. Одни контуры. В таком вот размытом, молочном тумане. И солнце, которое только-только восходит, начало постепенно освещать ее. Сначала ноздри, глаза, потом гриву, потом шею, спину, ноги... И чтобы, в конце концов, она вся засверкала. Большая и белая, как молоко.

Хрусталев понимающе кивал.

— Витя! — вмешался Аркаша Сомов. — Вот ты мне скажи: какая разница, кого будет освещать солнце? Какая разница между лошадью и козой? Я имею в виду, конечно, только в данном случае, а не с точки зрения животноводства...

— Какая разница, друг мой Сомов, — засмеялся Хрусталев, — между Татой и Нюсей? И та, и другая — хорошие женщины, и обе брюнетки...

Сомов в ужасе замахал на него обеими руками:

— Вернулся насмешник! Ничего святого!

— Так что с лошади и начнем! — загорелся Мячин. — Именно с этой сцены! Где Будник?

— А Будник зачем? — спросил Хрусталев.

— Он просил, чтобы непременно сняли, как он кормит лошадь хлебом. Он вспомнил, что в «Комбайнерах» есть такое место: Кочергин кормит из ладони лошадь. Они ведь с Кочергиным враги и соперники. Теперь ему хочется утереть Кочергину нос. С помощью нашей белой лошади. Но я согласился: пусть кормит.

Вечером решили устроить большой пир по случаю освобождния невинного оператора.

— Сегодня напьюсь! — пригрозила Регина Марковна. — Все нервы вы мне измотали!

Она нагрела целое ведро воды и гордо удалилась в лес с мылом и мочалкой.

— Регина, учти: я в крапиве залягу и буду подсматривать! — расхохотался Кривицкий.

— Смотри, мне не жалко! — презрительно отрезала Регина Марковна.

Через полчаса началась гулянка. Напились и наелись очень быстро. Кривицкий, так и не сдержавший своего обещания подсматривать за тем, как намыливается в густых зарослях немолодая наяда Регина Марковна, съел пару ломтиков «Докторской», потом, сокрушенно поглядев на свой мощный выпирающий из всякой, даже самой просторной одежды живот, навалил себе на тарелку горячей рассыпчатой картошки, густо посыпав ее укропом, посолив и полив сверху подсолнечным маслом, добавил к этому еще полбатона «Докторской» и сбоку аккуратно украсил получившийся натюрморт двумя серебристыми кильками с открытыми ртами и погасшими бусинками глаз. Стараясь не смотреть на обступившие его со всех сторон бутылки «Столичной», он пододвинул к себе большую банку «Сока томатного с мякотью» и начал пировать, можно сказать, в одиночку, потому что, когда трезвый человек остается один на один с пятнадцатью крепко выпившими людьми, он невольно чувствует себя обиженным и одиноким. Марьяны за столом не было. Отметив этот факт, Кривицкий подумал про себя, что он, может быть, недостаточно уделяет внимания молодой и очень неуверенной в себе актрисе, и тут ему вспомнился Пырьев, когда-то встретивший еще неопытного Кривицкого в одном из павильонов «Мосфильма» и неожиданно затеявший с ним откровенный разговор.

— Никакого настоящего режиссера из тебя, Федор, не выйдет, если ты своих ведущих артисток сам на зуб не попробуешь! — сказал большеголовый, с выпирающим кадыком, Пырьев. — Я, например, ни одну не стал бы снимать, если не пожил бы с ней хоть день в законном браке!

— Пожить — это я понимаю, а брак ни к чему! — ответил веселый Кривицкий.

— Развратники все вы, шпана! — брезгливо осадил его Пырьев. — Ты женщину только в браке раскусишь по-настоящему! Когда она перед тобой в бигудях на кухне, немытая, неодетая, чай будет пить вприкуску! А так это все чепуха и обман! Вот «Анну Каренину» ты ведь читал? Зархи вот Самойлову снял! Как тебе?

— Ну, я бы, наверное, не так повернул...

— И я бы не так повернул! — брызгая слюной, ответил Пырьев. — Танюша там как манекен на витрине! Вон надо мной весь «Мосфильм» смеется: у Пырьева в главных ролях только жены снимаются! А почему? Потому что я свою жену с изнанки знаю, она у меня ни одного неверного шага не сделает!

Кривицкий был в общем и целом за то, чтобы женщину, которая снимается в главной роли, режиссер знал как облупленную. Два года назад, *до* Наденьки, он, может быть, и не стал возражать против того, что для достижения совсем уже блистательных результатов с ведущей актрисой желательно оказаться в близких, можно сказать, почти кровно близких отношениях. Но теперь, когда он был так прочно и незыблемо женат на Наденькс, не имеющей прямого отношения к миру искусства, теперь одна мысль, что он, муж своей жены и отец своей дочери, вдруг, потеряв рассудок и чувство собственного достоинства, начнет лезть под юбки молоденьким артисткам, желая помочь им вжиться в образ, теперь одна эта мысль бросала Федора Андреича в холодную дрожь и казалась ему еще более кощунственной, чем, скажем, взять и незаметно подлить в томатный сок с мякотью полстаканчика «Столичной».

Чувствуя себя особенно безгрешным и любящим только свою жену человеком, Кривицкий решил непременно разыскать убежавшую от веселого застолья Марьяну Пичугину и постараться понять, что там сейчас у нее на душе. Он постучал стаканом с недопитым соком в дверь Марьяны, но никто не отозвался.

— Странно! — с обидой подумал Кривицкий. — Помочь им хочу, дуракам, а им только пить да гулять! Ну, где вот она шляется, когда завтра с утра такой ответственный кусок будем снимать? И как она будет выглядеть после бессонной ночи?

Он вспомнил, что Хрусталевых — и бывшего мужа, и бывшей жены — тоже уже нет за столом, хотя он успел заметить, что Витька напился. Вернее сказать, не напился, потому что он никогда не напивался до бесчувствия, но быстро опрокинул в себя положенное количество спиртного и, заблестев глазами, покинул всю группу, празднующую его же собственное, хрусталевское, освобождение. Хоть и острым был наметанный глаз режиссера Кривицкого, но то ли очень уж сладко пел соловей в густых деревенских зарослях, то ли слишком непроницаема была темнота деревенской ночи, едва освещенная одним-единственным фонарем, но только он пропустил и то, как Марьяна, неохотно откусив что-то, быстро ушла обратно в общежитие, а заблестевший глазами Хрусталев исчез не один, а захватил с собой свою бывшую жену и уволок ее куда-то в сгустившуюся темноту.

«Охохоюшки-охохой! — добродушно подумал Федор Андреич, чувствуя, что самому ему больше всего хочется лечь под лоскутное одеяло и забыться сном. — Охохоюшки — охохой! Да пусть они сами разбираются! Я что тут, собака цепная?»

Он встал, с хрустом потянулся и пошел в свою комнату по узкому коридору общежития. Заметил какую-то хрупкую тень, которая постояла у двери Хрусталева, осторожно дергая за ручку, но, заслышав грузные шаги режиссера, скользнула куда-то и сразу исчезла.

«А ну как Марьяна стояла, подслушивала? — с отеческой тревогой подумал Кривицкий. — С ума они тут у меня посходили!»

Интуиция не подвела его: это была Марьяна. Веселое застолье, огласившее своими шутками, смехом и разговорами всю округу, становилось все громче и громче. То, что она, не взяв в рот ничего, кроме ломтика «Бородинского», тихонько ушла обратно в общежитие, никого не удивило, поскольку никому, кроме, может быть, брата, занятого, как всегда, спорами с Мячиным, не было дела до нее. Нет, Мячину было. Но что ей до Мячина! Она постояла у окна в своей комнате, посмотрела, как в темных облаках мелькают звезды, втянула в себя слабый душистый ветер с реки и наконец решилась.

— Пусть он сам скажет мне, что между нами все кончено! Просто скажет, и все. И больше я не подойду к нему и ничем его не потревожу. Но я ведь имею право знать! Разве нет?

Дверь в комнату Хрусталева была закрыта, но она точно знала, что он там, слышала его знакомое тяжелое дыхание, сразу же притихшее, затаившееся, как только она начала дергать за ручку. Он был не один. Это она тоже поняла, потому что кроме дыхания Хрусталева послышалось и ломкое «ты-ы-ы», произнесенное голосом, который трудно было не узнать. Хрусталев был с Ингой. И он знал, что это она, Марьяна, дергает за ручку его двери, и он не открыл ей. Все кончено. Она вернулась обратно к себе, легла на кровать и свернулась калачиком. Завтра нужно уехать отсюда с первой попуткой. Нет, лучше даже не так: она дождется, пока они перестанут веселиться, разбредутся по своим комнатам, и тогда она со своим небольшим чемоданом выйдет из общежития, доберется до шоссе и остановит какую-нибудь машину, попросит, чтобы довезли до Москвы. И нечего ждать до утра. Лицо ее горело, веки щипало от слез.

За окном пели только что появившуюся песню Высоцкого «Татуировка».

Марьяна встала с кровати, не зажигая света, нащупала полотенце и пошла к умывальнику, висевшему в коридоре. Навстречу ей в широкой красивой пижаме, с махровым полотенцем, перекинутым через плечо, мурлыкая что-то, двигался Федор Андреич Кривицкий. Увидев Марьяну, он широко раскинул руки:

— Вот она, попрыгунья-стрекоза! Ты почему не с народом?

Марьяна хотела ответить, но соленый ком сдавил ей горло, из глаз опять закапали слезы.

— Обидели, а? Нагрубили? — грозно сдвинув брови, спросил режиссер. — Идем-ка ко мне, все расскажешь!

Он властно открыл дверь в свою комнату и подтолкнул Марьяну внутрь.

— Входи и садись! Сейчас коньячку с тобой выпьем... лимончик... А, вот шоколадка осталась!

— Федор Андреич, я не буду пить!

— А я тебя не спрашиваю, будешь или не будешь! Со мной, как с врачом: не поспоришь! Садись, я сказал!

Марьяна осторожно отпила из налитой рюмки, откусила кусок шоколадки.

— Теперь говори! Кто обидел?

Она замотала головой:

— Никто не обидел! Они все хорошие, милые.

На лице Кривицкого появилось грустное и понимающее выражение.

— Они, детка, разные. Кино очень сплачивает. А кончатся съемки, и сам удивляешься: ведь всем на тебя наплевать! Ты многого просто не знаешь, Марьяночка...

Он торопливо достал из тумбочки половину домашнего пирога и пододвинул поближе к ее тарелке.

— Наденька моя испекла. Яблочный. Ты пей коньячок и закусывай...

— Федор Андреич! — Марьяна всхлипнула. — Вы даже не представляете, до чего мне бывает одиноко!

Звук сильных шагов раздался в коридоре, потом громкий женский голос спросил у кого-то:

— Вот эта его, что ли, дверь?

Через секунду на пороге выросла Надежда Кривицкая. Высокая, статная, со сдвинутыми к переносице соболиными бровями. Кривицкий вскочил как ужаленный:

— Откуда ты здесь? С кем ты Машу оставила?

Она отмахнулась. Сверкающие глаза прожигали Марьяну насквозь, испепеляли ее.

— Так я не ошиблась, — страшным свистящим шепотом произнесла жена режиссера и вдруг, как тигрица, подпрыгнула к Марьяне, вцепилась ей в волосы. — Убью тебя, тварь! Убирайся отсюда!

— Надежда! — завопил Кривицкий, пытаясь оттащить жену. — Ведь это не то, что ты думаешь!

— Не то? Что «не то»? Сука! Сволочь! Пошла вон отсюда! Кому говорю?!

Нечеловеческим усилием оторвав разгневанную женщину от юной актрисы, Федор Андреич крепко обхватил ее обеими руками, крича так, что филин в лесу отозвался загадочным зычным «У-у-х, ты-ы-ы!»:

— Надежда! Клянусь! Это вовсе не то!

На звуки скандала сбежалась съемочная группа, исключая Ингу и Виктора Хрусталевых. Растолкав всех, Марьяна выскочила из общежития, легко перескочила через плетень и бросилась по направлению к лесу. За дверью Кривицкого послышался звук, который производится либо ударом мокрого белья о мостки, либо ударом человеческой ладони по столь же человеческой коже.

— Обманщик! Предатель! Не верю ни слову! — кричала, рыдая, Надежда Кривицкая.

— Бордель у нас, братцы, ей-богу, бордель! — с пьяной радостью воскликнул Аркаша Сомов и покрутил своей лысеющей головой. — Теперь нам Офелию нужно спасать! Река, братцы, близко!

Перепуганный Александр Пичугин, не помня о своих белоснежных брюках и темно-синих замшевых мокасинах, побежал к лесу, в котором давно уже скрылась его невезучая сестра, и с криком: «Марьяшка! Марьяшка!» — исчез в темноте. За ним, пригнув голову, помчался режиссер Мячин.

— Подай мне, Регина, фонарик! — приказал, с трудом удерживая равновесие, Аркадий Сомов. — Пойду помогу. Лишь бы ног не сломать!

— Надюша, дай я объясню! — постанывал за дверью режиссер Кривицкий. — Все просто: актриса, без всякого опыта...

Жена не дала ему закончить:

— А ты привык с опытом? Ты привык с опытом? Моим пирогом соблазнял, негодяй!

— Пирог твой, Надежда, давно зачерствел! Неделю как ем!

— Ну, знаешь!

Опять ударили мокрым бельем по настилу, и ослепшая от гнева, огненно-красная Надежда Кривицкая появилась в раскрытых дверях комнаты, выскочила из общежития и хлопнула дверцей такси. Шофер, так и не сумевший задремать, поскольку уж очень кричали и плакали, посмотрел на нее с раздражением.

— Теперь куда едем? Обратно?

— Обратно, — сказала она, задыхаясь от слез.

Такси, подняв пыль, умчалось в столицу, и не успели огни его фар растаять в воздухе, как юная и неопытная актриса Марьяна Пичугина, на поиски которой только что бросились Егор Мячин, Аркадий Сомов и ее брат, Пичугин Александр, вышла из леса, спокойно и неторопливо приблизилась к столу, полному не доеденной коллегами еды, опустилась на скамью, отыскала среди грязной посуды чистую тарелку, положила на эту тарелку немного винегрета, остывшей картошки, салата из крабов, коронного блюда гримерши Жени, салата из печени трески, коронного блюда гримерши Лиды, кусок медовика, любимого угощения Регины Марковны, вылила в чашку остатки коньяка из бутылки и принялась спокойно ужинать, поскольку последние несколько дней почти ничего не ела и успела как следует проголодаться. Увидев брата, Егора Мячина, Аркадия Сомова, которого Егор Мячин тащил на себе, как раненного в бою солдата, и всех остальных, кроме заперевшегося в своих комнатах режиссера Федора Андреича и бывших супругов Хрусталевых,

Марьяна подняла на них тихие глаза и очень спокойно спросила, чем это они все так взволнованы.

— Марьяшка! — сказал ее брат. — Ты даешь! Ведь мы же искали тебя!

— Искали меня? — удивилась Марьяна. — Я просто гуляла. Хорошая ночь...

Она допила остатки коньяка, вытерла вкусно пахнущие крабами и алкоголем губы и, крепко поцеловав брата в щеку, обратилась к безмолвному Мячину:

— Егор Ильич! Можно я к вам перееду? Вы ведь один в комнате живете?

Мячин застыл наподобие соляного столпа, но, встретившись с ее вопрошающим взглядом, тут же, как безумный, закивал головой:

— О чем разговор? Я, конечно, не против! Помочь вам с вещами?

— Один чемоданчик, — спокойно сказала она. — Помогите.

Собрать «чемоданчик» заняло у Марьяны не больше пяти минут. Мячин перенес его в свою комнату, и туда же, не меняя спокойного и приветливого выражения лица, процокала каблучками Марьяна, ни словом не перемолвившись ни с братом, нежная, девичья шея которого покрылась красными пятнами, ни с разъяренной гримершей Лидой, ни с остолбеневшей гримершей

Женей, ни с пьяным, широко открывшим рот Аркашей Сомовым, ни с Региной Марковной, схватившейся по своей привычке за сердце обеими руками, ни с остальными членами съемочной группы, которые только выразительно переглядывались. Она вошла в комнату Мячина, дверь захлопнулась, но через секунду раскрылась опять, появился стажер, уже без чемоданчика, и растерянно, с плохо скрываемым восторгом сказал:

— Товарищи! Завтра у нас очень тяжелый день. Прошу вас всех разойтись по своим комнатам и как следует отдохнуть. Первая съемка в восемь тридцать.

Все разошлись, коридор опустел. Только пьяный и растроганный непонятно чем Аркаша Сомов ополоснул лицо под тонкой струей умывальника и сиплым дробящимся голосом тихо запел:

> *Ночи безумные, ночи бессонные,*
> *речи бессвязные, взоры усталые...*

Он, судя по всему, собирался исполнить до конца этот замечательный романс на слова Апухтина, но тут появилась Регина Марковна в длинной, до пят, фланелевой ночной рубашке с синим ободком по вороту и строго сказала:

— Аркаша! Достаточно!

И Сомов затих.

Глава 8

Мало кто спал этой ночью. Инга Хрусталева, обнаженное тело которой белело на постели рядом с обнаженным телом ее бывшего мужа Виктора Хрусталева, положившего голову ей на плечо, докуривала уже третью сигарету и шепотом задавала своему бывшему мужа один и тот же вопрос:

— Послушай! Ты думаешь, можно все заново?

Хрусталев молча целовал ее в шею и что-то бормотал. В ответ на его бормотание Инга глубоко вздыхала, моргая мокрыми глазами в темноте, потом разворачивалась к нему, обеими руками обхватывала его небритое лицо, пытаясь поймать ускользающий взгляд, и продолжала свой сбивчивый женский допрос, единственной целью которого было увериться в том, что Хрусталеву никто не нужен, кроме нее, и никакая другая, пусть хоть сама Марина Влади, не займет в душе и теле Хрусталева ее законного места. А он, несмотря на страшную усталость, накопившуюся за эти дни, все целовал и целовал ее и вот уже в третий раз доказывал ей свою любовь, успокаивая свою «бывшую» тем самым единственным способом, о котором она втайне мечтала все эти нелегкие годы разлуки.

Режиссер Федор Андреич Кривицкий лежал, отвернувшись носом к стене, и ждал наступления утра, чтобы удрать в Москву и там помириться с этой невыносимой и даже, более того, совершенно не приспособленной к жизни с творческим человеком женщиной. Чем глубже понимал он неприспособленность этой женщины, а также и ее невыносимость, тем острее было в нем ожидание той минуты, когда он появится на лестнице своей добротной, по последнему писку моды обставленной дачи (и все для нее, все для этой вот женщины!) и, заключив ее в свои объятья, начнет изнурительно-сладкую процедуру примирения. Он тяжело ворочался под лоскутным деревенским одеялом, вспоминая ямочки, всякий раз появляющиеся на ее щеках, когда она улыбалась, ее глубокий, грудной голос, впервые услышанный им на вечере самодеятельности Второго медицинского института, где Надежда Толмачева была запевалой в хоре. Режиссера Кривицкого пригласили как очень почетного гостя, и он снисходительно развалился в первом ряду, немного хмельной и уставший от съемок, в прекрасных болгарских ботинках из замши, и тут выплыл на сцену хор будущих докторш, невзрачных очкариков с бледными лицами, который Надежда Толмачева освещала собою, как солнце. «Ой, цветет калина в поле у ру-у-учья! — запела она, и хор подхватил: — Парня молодого по-олюбила я-я-я!»

Федор Андреич сморгнул слезы, навернувшиеся ему на глаза, и поспешно оглянулся на притихший зал, не заметил ли кто. Он почувствовал, что именно он и есть этот молодой парень, которого под цветущей калиной заприметила и горячо полюбила высокая, с ямочками на щеках запевала. Дальше все понеслось и помчалось само собой. Федор Андреич впервые в жизни узнал, что человек есть кузнец собственного счастья. Открытие это было поразительным своей наглядностью: в тот день, когда он видел Надежду Толмачеву и обнимал ее, он был счастлив, но, если выпадали дни или даже недели, когда ему приходилось жить без нее, мрачнее и тревожнее режиссера Кривицкого не было на земле человека. Куя свое счастье, он постарался свести дни разлуки к нулю и в конце концов предложил пожениться. После сегодняшнего скандала с пощечиной, влепленной этой милой и стеснительной девочке, Надежда, разумеется, так быстро его не простит, и разубедить ее в том, что он, солидный человек с дважды переломанным копчиком, не станет на глазах у всего творческого коллектива зазывать к себе начинающую артистку с целью ее немедленного совращения, будет непросто. И нужно торопиться. Кто ее знает, что она еще может выкинуть? Возьмет

Машу и уедет к родителям в Тамбов. А что? Ей законы не писаны.

Марьяна лежала на кровати Мячина, а сам он устроился на перине, принесенной из кладовой и положенной на пол. Лишней простыни и наволочек в кладовой не оказалось, но подушки и одеяло, весьма, к сожалению, засаленные, нашлись, так что теперь он лежал очень удобно, в китайском тренировочном костюме и боялся дышать, чтобы не помешать Марьяне. Он все еще не понимал, как же это случилось: почему она вдруг взяла и переехала к нему? Спросить бы он ни за что не решился не только у нее, но даже и у Санчи, который прекрасно видел, как они вдвоем прошли из ее комнаты в комнату Мячина и Мячин нес ее чемодан. Да и все это видели. А те, кто не видел своими глазами, тем уже донесли. И сейчас все, наверное, успокоиться не могут: обсуждают их, обсасывают косточки.

— Вы спите, Егор? — тихо спросила она.

— Нет, — торопливо отозвался он. — Я думал, что это вы спите.

Она усмехнулась в темноте.

— Я вам, наверное, очень странной кажусь, да?

— Вы мне не странной кажетесь, а необыкновенной. Это совсем другое.

— Знаете? Бабушка рассказывала, что ей все соседи всегда говорили: «Зоя Владимировна, какая у вас странная внучка!» А она им именно так и отвечала: «Внучка у меня не странная, а необыкновенная».

Марьяна невесело засмеялась. Мячин почувствовал, что тренировочный костюм прилип к его телу, хотя в комнате было совсем не жарко.

— А я, например, знаю, что я странный. И мне наплевать. Меня в школе Иисусиком дразнили. Потому что когда нам учительница начала объяснять, что Бога нет, я встал и сказал: «Докажите». Мне было одиннадцать лет.

— А она что?

— А что она? Орать начала: «Не уважает взрослых, на все наплевать, авторитетов не существует! За такие вопросы его нужно из школы выгнать, родителям сообщить!» Пока она орала, я молчал. Потом она выдохлась, и я сказал: «Вот видите? Вы не можете. И все остальные не могут. Поэтому так и злятся».

— Родителей вызвали?

— Да некого было вызывать. Мы с мамой за пару месяцев до этого похоронили отца. Он умер на моих руках, мама была на дежурстве. Она работала медсестрой в две смены, дома ее почти не бывало. Отец переводил стихи. Вернее, не совсем так: он переводил стихи, потому что за это платили деньги, а за то, что он писал сам, денег не платили, и это никогда нигде не печатали. Он был, по-моему, неплохим поэтом, но ему не везло. Он не умел писать того, что нужно. Хотя, может быть, я и не должен так говорить: его ведь могли посадить, как других, а его не посадили. Ну, подумаешь, не печатали! На фронт его не взяли, потому что у него один глаз был слепым, в детстве повредил. Всю войну он работал военным корреспондентом, его репортажи были... ну, как вам сказать? Слишком откровенными, что ли. Их тоже не всегда печатали, а отца много раз предупреждали, что он доиграется.

— О чем он писал?

— О разных вещах. О них до сих пор предпочитают умолчать. О штрафниках, например. О разведчиках. О дезертирах. Ведь наша пропаганда работала только с лозунгами, только с героизмом. А отцу по его характеру всякая показуха и лозунги были отвратительными, непереносимыми. Он хотел правды во всем. Он ее добивался. И писал о ненужных жертвах, о жестокости, зверстве, крови и блевотине. Его картина войны очень сильно отличалась от того, что преподносили другие корреспонденты. Отец был таким... Знаете? Неутомимым правдолюбом.

— Но ведь и вы такой же, Егор.

— Я? Ну что вы, Марьяна! Я совсем не такой. Я слишком сильно люблю жизнь и слишком сильно ею дорожу. А отцу было по большому счету наплевать. Он ни себя не жалел, ни нас с мамой. Мне было восемь лет, когда закончилась война. Мы жили в Москве, в коммуналке. Мама работала круглосуточно. А у отца появилась другая женщина, и он ее, кажется, очень любил. Я о ней почти ничего не знаю. Знаю только, что она оказалась во время войны на оккупированной территории и потом ей удалось как-то добраться до Москвы. В Москве она познакомилась с отцом. Кажется, она работала машинисткой в каком-то издательстве, а о своей военной биографии никому ничего не рассказывала. Отец пришел в это издательство — он все время ходил по разным издательствам пристраивать свои переводы, иногда и стихи... По наивности. И там они познакомились. И началась эта связь. Понимаете? Отец не мог лгать. Он не мог жить двойной жизнью, ему это претило. А тут — голод, холод, ничего нет, я — маленький, все время болел. То одно, то другое: ангина, фурункулы...

— Я тоже все время болела. И тоже: ангина, фурункулы...

— Да. Многие этим болели. Еще был рахит, помните? И дистрофия. В нас вливали рыбий жир и заставляли пить аскорбинку. Отец не мог уйти. Он не мог оставить нас с матерью, хотя у него появилась любимая женщина. А она, то есть эта женщина, была, как я теперь понимаю, тоже очень сильно надорвана. Она очень боялась. Мать мне потом рассказала, что она иногда звонила нам по ночам и молчала в трубку, но это не потому, что она хотела поссорить моих родителей или вызвать у матери подозрения... Нет, совсем не поэтому!

— А почему?

— Вы правда не понимаете?

Марьяна промолчала.

— Ей незачем было дразнить мою мать. Отец и так сразу все рассказал дома. Для него это было хуже всего, если бы мать вдруг узнала о его связи не от него самого, а от кого-то еще. К этому можно по-разному относиться. Можно считать его даже не от мира сего или еще что-то в этом роде, но он был таким человеком, он родился таким, понимаете? И меняться не собирался. А эта его женщина... Она, наверное, звонила, потому что ей было страшно. Просто страшно, и все. Она боялась, что за ней придут.

— Егор! А ваша мама... Она знала, что... Ну, она знала, через что прошла эта... подруга отца?

— Да. Мать знала. Отец не сомневался в том, что должен рассказать ей даже это. Хотя он, как мне кажется, и не имел на это права. Особенно если учесть то, что, окажись на месте моей матери кто-то другой, этот другой мог бы ведь и донести. Я слышал, как однажды ночью мать спросила его: «А ты меня не боишься? Знаешь, какими стервами становятся жены, если им изменяют? Они на все, что угодно, готовы!»

— И что он ответил?

— Он ответил как-то странно. Я до сих пор не могу понять. Он сказал: «Если бы ты была одной из таких жен, у нас не было бы Егора».

Опять они помолчали. Потом Марьяна сказала, приподнявшись на локте:

— Егор, подождите! Я, кажется, догадываюсь. У нас была соседка в Свердловске, очень верующая, очень хорошая. И красивая. И она как-то сказала: «Дети не просто так появляются. Дети — это подарок Божий. Но не все это понимают. От подарков не отказываются». Я вот и подумала сейчас, что, может быть, ваш отец хотел сказать вашей матери, что люди не имеют права делать подлости, потому что... Ну, потому, что у них есть дети. Я не могу это объяснить. Но я так чувствую...

— Не знаю. Никто ведь и в самом деле не способен доказать, что нет Бога, правда? Короче, моим родителям было очень трудно. И порознь трудно, и вместе. Отец начал потихоньку пить, хотя раньше и не притрагивался к спиртному. А у него было очень слабое сердце. И мать говорила ему, что пить ему нельзя, потому что сердце не выдержит. И мне теперь кажется, что он специально пил, чтобы оно не выдержало. Он не был слабым человеком, а наоборот. И пил, потому что был сильным. Совсем не потому, что «запутался», как это любят объяснять. А потому, что слишком четко понимал, что у него нет выхода. Он видел свою жизнь насквозь. Не хотел, чтобы его кто-то дурил и чтобы он сам себя дурил.

— Так как же он умер?

— Пришел домой и сказал: «Егорка, я простыл, наверное. Полежу немножко и потом пойдем с тобой дрова покупать, а то у нас заканчиваются». Я любил ходить с ним покупать дрова. Мы долго выбирали, стучали по поленьям, я гладил их руками, прижимался к ним лицом, нюхал. Там так замечательно пахло, на дровяном складе! Он лег и затих. Я делал уроки. Иногда оглядывался на него: он тихо лежал, сложив руки на груди, очень тихо дышал. Потом я перестал прислушиваться к его дыханию, мне показалось, что он глубоко и спокойно спит. Он не был пьян, да и вообще... Он не напивался каждый день, только иногда.

Чтобы полностью отключиться, забыть обо всем. Я его понимаю.

— Я тоже его понимаю, — прошептала Марьяна.

— Да? — отозвался Мячин. — Ну, видите? Вы же необыкновенная. Я ведь вас не просто так полюбил на всю жизнь.

— Не нужно об этом. Пожалуйста...

— Конечно, не нужно! Я закончил делать уроки. На улице было уже совсем темно. Поздно идти за дровами. Я подошел к дивану, на котором он лежал. Его лицо было каким-то поразительно белым. Он странно закинул голову. Я успел подумать, что ему, наверное, очень неудобно спать в таком положении, и хотел слегка поправить подушку. Дотронулся до его лба. Он был ледяным. Я ничего не понял. Начал тормошить его, звать. Но он был уже мертвым.

Они оба молчали. Потом Мячин сказал:

— Мама после похорон решила уехать из Москвы. Она мне сказала, что не хочет жить в одном городе *с этой дрянью*, которая виновата в его смерти. Она со мной всем делилась, никогда не держала никаких секретов от меня. Не знаю... Может быть, этого и не нужно детям. Может быть, от всех этих взрослых страстей и переживаний, которые валились на мою голову, я и стал таким психопатом.

— Вы совсем не психопат, Егор! — горячо возразила она. — Вы просто очень глубоко чувствуете... Это совсем другое...

— Ну, не знаю. Дай Бог, чтобы вы оказались правы. Короче, мы уехали в Брянск. У мамы там жили две сестры, обе с семьями, старший брат. Она была уверена, что мне будет хорошо с родными, в семье, потому что в Москве у нас никаких родных не было.

— И вам было хорошо в Брянске?

— Ой, нет! Я рвался в Москву и скучал по Москве. Поэтому, как окончил школу, так сразу поехал поступать во ВГИК. Мама была уверена, что меня не примут. Но меня вдруг приняли. Я сам не сразу в это поверил.

— А как ваша мама сейчас? Она живет в Брянске?

— Живет, да. Работает. Старается меня ничем не волновать, пишет веселые спокойные письма. Я вижу ее раз в год. Она быстро стареет. Дело в том, что она вообще очень сильно изменилась после смерти отца. Я был ребенком и то сразу заметил, что она стала другой.

— А так бывает, да? Что человек вдруг полностью меняется? Не слегка, а именно полностью? — Голос Марьяны дрогнул.

— Бывает, конечно. Вы вот посмотрите на артистов: в жизни это может быть тихий, затравленный человек, глаз не поднимет. А выходит на сцену и преображается. Гром и молнии! Так же и с обычными людьми. Только нужен какой-то шок, чтобы вдруг измениться. Или, может, сила воли. Мама сначала, я думаю, ужасно растерялась: одна, с мальчишкой. А за плечами эта отцовская измена, боль эта, его неожиданная смерть. Да и я был первое время сам на себя на похож. И вдруг она в один день собралась как-то внутренне, замкнулась, сжалась и начала действовать. Ей нужно было принять жизнь такой, какая она есть. Ни на что не надеяться, не ждать больше никаких чудес. Она с этим справилась. По крайней мере внешне.

— Ах, как я ее понимаю! — воскликнула Марьяна.

Мячину хотелось увидеть ее лицо, посмотреть в ее глаза. Но вместо лица он увидел только подушку, в которую она зарылась, и смутно белеющий в темноте локоть.

— Очень тебе плохо сейчас? — тихо спросил он.

— Очень, — ответила она. — Да, мне очень плохо.

— Ты только не бойся, — неловко сказал он. — Я тебя не подведу. Приставать не буду. Ну, и вообще... Все сделаю, как ты скажешь.

Она усмехнулась.

— Я знаю, Егор.

Мячин промолчал. От ее уверенного «я знаю» в нем вдруг поднялось глухое раздражение. Он только что раскрыл ей всю душу, рассказал даже то, чего не рассказывал никому, а она отмалчивается, ничем не делится, и, может быть, есть даже какой-то расчет в том, что она пришла к нему, как будто бы он не мужик, не мужчина, а подружка или соседка и можно не считаться с его переживаниями. Он вспомнил коврик, в детстве висевший над его кроватью. На коврике серый волк с оскаленным добрым лицом мчится куда-то, и шелковый красный язык его задевает за верхушки сине-серых елок, а на спине волка, перекинутая через его мощную и надежную спину, лежит красавица-царевна с полураспустившейся косой. Марьяне сейчас нужен вот такой серый волк, поэтому она процокала к нему каблучками, и ей даже в голову не приходит, что Мячин ведь не игрушка и нельзя совершенно не считаться ни с ним, ни с его любовью к ней, ни с его, черт возьми, страстью, от которой иногда хочется просто лезть на стену! Мячин с трудом удержался, чтобы не сорваться и не спросить у нее, сколько ночей она собирается провести с ним в этой комнате на глазах у всей группы, которая, разумеется, даже и представить себе не может, что он вот валяется на тюфяке, как собака, а она устроилась на его кровати и вздыхает оттого, что Хрусталев ее бросил.

— Егор! — прошептала она тем мерцающим, похожим на первый подснежник, глуховатым голосом, за который он с первой минуты полюбил ее. — Егор, ты прости меня, пожалуйста, я просто ужасно... Ужасно запуталась!

И тут же в душе у него потеплело.

— Ты не одна, — пробормотал он. — Я ведь с тобой...

— Спасибо, — шепнула она. — Доброй ночи.

И ночь наступила. Такая спокойная, в таких крупных звездах, с таким нежным плеском серебряных рыб в неглубокой реке, которые с помощью легких касаний, смеясь, сообщали друг другу, что живы, что им удалось ускользнуть от крючка и нужно теперь затаиться, не жадничать, чтобы не попасться на этот крючок с таким аппетитным и жирным червем, что вся их холодная рыбья душа при виде его просто рвется наружу.

Через несколько часов утро осветило своими пригожими лучами деловито снующих по съемочной площадке людей, по лицам которых было гораздо труднее понять, что их мучает и мучает ли их хоть что-то, чем по полевым цветам, всегда всем открытым, всегда простодушным. Люди же не любят и не привыкли открываться случайным взглядам, и от этой постоянной скрытности их лица с годами так сильно грубеют, что некоторых и совсем не узнать. Когда Марьяна со своими ясными глазами и приветливой улыбкой вошла в гримерную, ни один на свете человек не догадался бы, что сердце ее тихо ноет от боли и она с трудом сдерживает слезы. За несколько минут до ее появления в гримерной состоялся очень серьезный разговор между гримершей Женей, гримершей Лидой и странно помолодевшей за один день Ингой Хрусталевой.

— Вы, Инга Витальевна, сегодня прям как именинница! — ворковала над дыбом начесанными волосами Инги гримерша Женя. — Вас прям не узнать! Случилось чего?

— Нет, нет! — поспешно ответила Инга. — Что здесь может случиться?

— Ну, это вы не говорите! — злобно вклинилась в разговор гримерша Лида и огненно покраснела под своими вытравленными перекисью мелкими кудряшками. — Марьяна-то знаете что отколола? Пришла вчера к Федору Андреичу с коньяком, с конфетами и говорит ему: «Давайте, Федор Андреич, обсудим с вами мою роль». А тут — представляете? Жена! На такси из Москвы приехала! Как чувствовала! Ну, как можно так вот бессовестно... Взять и впереться к чужому мужчине... Да с выпивкой! Да с шоколадом! Позор!

— Ой, ой! — и засмеялась, и ужаснулась Инга. — А дальше-то что?

— А дальше обычно. — И гримерша Женя опять отняла у гримерши Лиды уже готовый ответ: — Федор Андреич, конечно, полные штаны наложил, а жена обратно в такси и умчалась! Марьяна собрала чемоданчик и тихой такой овечкой к Егору Ильичу: «Егор Ильич, можно я к вам перееду? Вы ведь один живете?»

Тут Женя сделала паузу, что-то, наверное, сообразив:

— Ой! Инга Витальевна! А ведь это вы с Пичугиной в одной комнате живете! Вы разве не заметили, что она не ночевала?

Инга так сильно закусила губу, что помада отпечаталась на верхних зубах. Лида быстро наступила Жене на ногу.

— Наверное, вы спали уже! Могли не заметить.

В эту минуту, радостная и улыбчивая, в гримерной появилась Марьяна.

— Ну, прямо минутка в минутку! — обрадовалась Женя. — Мы уже Ингу Витальевну почти закончили, сейчас вас будем рисовать.

— Доброе утро! — отозвалась Марьяна. — Вы свою часть выучили, Инга? А я вот зубрила-зубрила полночи и все-таки, кажется, не дозубрила!

— И я тоже ночью почти не спала: пыталась понять, как же мы переходим от этих признаний в любви и от слез к той сцене, где все веселятся на ферме? Сначала я думала, неубедительно, а после вчиталась, и вроде нормально...

— Нормально! Я тоже сперва сомневалась. Но там очень важно, *как* это сыграть.

Глаза их встретились в зеркале и одновременно сверкнули.

— Марьяна, вы знаете, ведь Федор Андреич уехал в Москву. Проблемы какие-то дома. Бывает. Так что сегодня мы все в руках у Егора.

— Не только! — Марьяна слегка улыбнулась. — С Егором еще можно договориться, а вот с оператором!

— Ох да! Оператор нам спуску не даст!

— Ну, ладно. Авось пронесет. Вы готовы?

— Готова. А вы?

— Да, я, кажется, тоже. Пойдемте сражаться?

— А что остается?

Ушли, благоухая лаком для волос, перешучиваясь и улыбаясь.

Федор Андреич Кривицкий, полчаса проторчав в пробке, подъехал к калитке своей дачи, потер ладонью разболевшийся от утомительной дороги копчик и поднялся по ступенькам крыльца.

— Наденька! — смущенно позвал Федор Андреич и тут же разозлился на себя за это смущение. — Надя! Ты где? Почему ты мне не отвечаешь?

Красная от злых слез Надежда Кривицкая выросла на пороге.

— Зачем ты приехал?

— Надя! — Кривицкий обеими руками схватился за голову. — Ведь я же тебе объяснил: простая, наивная девочка, вовсе без опыта, не знает, как сесть, как ступить...

— А лечь знает как?

Кривицкий поморщился.

— Надя! Оставь! Ну чем мне поклясться, что...

— Нет уж! Не надо! — сдвинув свои соболиные брови так, что они образовали одну сплошную полосу, зарыдала Надежда Кривицкая. — Ни слову не верю и в жисть не поверю!

— О господи! Дай же мне силы! Не выдержу... — И Кривицкий рухнул на диван.

Жена не сводила с него обведенных страдальческими тенями глаз.

— Мы, Федя, *пока* никуда не уедем! Маше лесной воздух необходим. Так что ты не рассчитывай, что вы с этой красавицей здесь, на моих костях, блаженствовать будете...

— Ты, Надя, рехнулась! Нет, правда: рехнулась!

— И в спальню ко мне, Федя, ты не войдешь!

Кривицкий схватил самую огромную из диванных подушек и накрыл ею лицо.

— Что? Стыдно тебе? Ну еще бы! Еще бы!

С этими словами она повернулась и вышла. Через пять минут из глубины дома послышался ее срывающийся грудной голос:

По долинам и по взгорьям
шла дивизия впе-е-е-ред,
чтобы с боем взять Приморье,
белой арми-и-и-и оплот!

«Машеньку укачивает!» — догадался Кривицкий.

Глава 9

Следователь Цанин чуть ли не с ранней молодости страдал холециститом. Чем только его не лечили, ничего не помогало. Жена каждое утро с кислым лицом — таким, что удавиться хотелось, — приносила следователю два стакана нарзана и, скорбно поджав сероватые губы, ждала, пока он их выпьет. Потом уходила, и Цанин слышал, как она помешивает в кастрюльке овсяную кашу. Этот звук действовал на его нервы так же, как на разъяренного испанского быка действует плащ испанского тореадора. Больше всего на свете ему хотелось опрокинуть на жиденький перманент жены эту недоваренную и жиденькую овсяную кашу. Руки его тряслись от раздражения. Однако профессиональная сдержанность проявлялась во всем. Умытый и причесанный Цанин выходил на кухню, разворачивал свежую газету и, морщась, съедал свою овсяную кашу. Потом он подставлял жене до блеска выбритую щеку, брал свой портфель и ехал на работу. Проклятое заболевание не позволяло пить. Врачи покачивали головами и пугали операцией. Поэтому Цанин напивался один раз в два месяца. Никто не предлагал ему такого расписания, но, выработав его самостоятельно, Цанин следовал этому расписанию со всей еще в армии приобретенной железной точностью. Он напивался пятого числа вечером, пил все шестое, а седьмого приходил в себя и отлеживался. Восьмого, если оно не совпадало с каким-нибудь праздником или воскресеньем, он шел на работу. И так — каждые два месяца. Каждый месяц было бы лучше, но он панически боялся угодить на операционный стол.

«Там точно зарежут, — сказал он себе. — Уж лучше тогда потерпеть».

И Цанин терпел. Однако это постоянное, вызванное болезнью насилие над своим организмом не могло не сказаться на психике. Следователь стал постепенно испытывать почти садистское наслаждение от возможности наказывать людей. Их испуганные глаза, их просьбы хотя бы «разобраться» вызывали в нем веселое и острое бешенство, от которого как-то очень приятно холодели кончики пальцев, а в ушах изредка возникала почти соловьиная легкая трель. Потом пропадала. Иногда это состояние заменяло опьянение и точно уж помогало в том, чтобы полностью освободиться от любовной необходимости в женщине и от ее бесхитростных ночных услуг. Он стал независим, коварен и быстр. С любым заданием, поступающим сверху, справлялся. Начальство его полюбило. Ему доверяли такие дела, которые требовали не только профессионального умения, но и психологической изощренности, находчивости, а иногда даже и артистизма.

Ознакомившись с делом сценариста Паршина, смерть которого была явно вызвана алкогольным опьянением, Цанин поначалу не обратил на это дело особого внимания. Его подопечный доложил, что все предшествующие гибели трое суток сценарист Паршин беспробудно пил с оператором Хрусталевым. Цанин пробежал дело глазами и равнодушно отложил его в сторону. Однако через два дня курьером было доставлен некий конверт, который полагалось открыть лично ему, старшему следователю отдела, и в этом конверте содержалась краткая информация, которой он не должен был ни с кем делиться. Цанин несколько даже опешил от того, что могло потребоваться от него в ходе «раскрытия» никому, в сущности, не интересной причины смерти рядового алкоголика Паршина, и тут же смекнул, что если ему удастся провернуть то, чего от него ждут, то вся его карьера сделает такой резкий взлет, что можно будет считать свою судьбу абсолютно удавшейся, несмотря на холецистит и постоянные семейные раздражители.

Виктору Хрусталеву была отправлена повестка. Цанин предвкушал беседу со своей будущей жертвой с тем же нетерпением, с которым прыщавый десятиклассник ждет свидания со взрослой и опытной женщиной, которая, может быть, даже оставит его у себя ночевать.

Хрусталев с первой секунды вызвал у него отвращение. Он знал этот тип мужчин и презирал его. Эти мужчины отличались обаянием, перед которым не могла устоять ни одна особа слабого пола, открытым пренебрежением ко всем остальным и, как ни странно, каким-нибудь не понятным для следователя талантом, вроде умения рисовать картинки, сочинять стишки или, как в случае с

Хрусталевым, снимать художественные фильмы. Поначалу Хрусталев держался свободно и независимо, но Цанин без большого труда заставил и его разволноваться. Предположить, что он незадолго до гибели был в комнате Паршина, было проще простого: очень пьяные люди, проведшие вместе почти три дня, не расстаются у подъезда, а лепятся друг к другу до тех пор, пока их тесная дружба не нарушается каким-то скандалом. То, что Хрусталев соскочит с крючка, как рыба, уже заглотившая наживку и все-таки чудом каким-то вытолкнувшая ее из своего раздувшегося горла, было для Цанина полной неожиданностью. Адвокат, приглашенный бывшей женой Хрусталева, сломал ловкую задумку следователя, и вся схема посыпалась. Цанин покаялся наверху в своей неудаче и принялся ждать дальнейших распоряжений. Через две недели ему сообщили по телефону такое, от чего следователь весь затрепетал. Только одно создавало большие сложности: никто, даже очень близкий ему по работе эксперт Слава, не должен был догадаться, что суть всей истории не имеет к самому Виктору Хрусталеву, оператору с «Мосфильма», практически никакого отношения. Что через голову этого самонадеянного молодого человека решается совсем другая, важнейшего государственного значения задача. Нужно было исхитриться и выстроить историю так, чтобы спровоцировать стилягу-оператора на личный конфликт с самим следователем. Тогда ни один комар, включая и дотошного Славу-эксперта, носу, как говорится, не подточит. Мстительность Цанина была хорошо известна сотрудникам и легко объяснялась все тем же холециститом. Поэтому нажить себе еще одного личного врага в лице Хрусталева было проще простого. Он выяснил, что съемки в деревне заканчиваются в субботу и в понедельник группа начнет работать в одном из мосфильмовских павильонов. Значит, нужно было дождаться понедельника.

Глава 10

В пятницу закончили снимать почти в семь. Машина, нагруженная декорациями и костюмами, уехала в Москву. Утром нужно было немного поснимать натуру и, главное, поймать и запечатлеть деревенских мальчишек в тот момент, когда они с визгом плюхаются в воду и их обдает сверкающими брызгами. На этом особенно настаивал Егор и даже сам ходил по домам договариваться, чтобы никто из пацанов не пропустил назначенного времени — восемь утра. Пацаны солидно согласились и обещали не подвести. После обеда должен был прибыть мосфильмовский автобус и увезти в заждавшуюся столицу всю съемочную группу.

Закончив съемку, Мячин умылся и постучал в дверь своей комнаты.

— Входи, я не сплю, — отозвалась Марьяна.

Это была их третья и последняя ночь. Позавчера, когда она неожиданно пришла к нему со своим чемоданчиком, они долго и задушевно разговаривали. В самом конце, когда Марьяна расплакалась и призналась в том, что запуталась, Мячин дал себе слово никогда и ничем ее не огорчать. В душе он уже был согласен на то, чтобы быть ей только другом, защитником и опорой. Ни на что другое не претендовать и проглотить свою влюбленность с закрытыми глазами, как дети глотают горькие таблетки. Они проговорили несколько часов подряд.

Начало светать, в деревне заголосили петухи, и Марьяна наконец заснула. Мячин долго ворочался в углу на своей перине, из которой в разные стороны летел пух, и чувствовал, как сердце его разрывается от любви. В конце концов и он заснул. Проснулся в половине девятого. Марьяны уже не было в комнате. Кровать оказалась аккуратно застеленной, подушка взбита. В ногах лежало ее махровое полотенце и мокрая зубная щетка.

Значит, она действительно была здесь, ночевала, потом проснулась, пошла чистить зубы, умылась и тихо куда-то ушла. Чемоданчик ее стоял у стены. Мячин понял, что все это не было сном и сегодня она придет опять. Вся съемочная группа пялилась на них с любопытством, но вслух никто ничего не произнес. Если, конечно, не считать Хрусталева, который, не глядя на Мячина, спросил небрежно:

— Ну что, Егор? Счастлив?

И Мячин ответил ему так же небрежно, делая вид, что речь идет о только что отснятой сцене:

— Неплохо, мне кажется. Но в кадре травы маловато. Хотелось бы зелени больше.

Вторая ночь протекла в молчании. Он видел, что Марьяна волнуется, не знает, как ей вести себя, что делать. Она долго стояла у окна, отвернувшись, смотрела на звездное небо. Мячин сделал вид, что ему нужно проработать свои замечания по поводу сегодняшних съемок, вооружился красным карандашом, но зрачки его бессмысленно прыгали по страницам большой клеенчатой тетради, в которой он что-то подчеркивал и даже тихонько чертыхался про себя для пущей убедительности.

Потом она тихо повернулась и спросила, нет ли у него случайно пирамидона: очень болит голова. Мячин тут же сорвался, побежал к Регине

Марковне, выпросил у нее три таблетки и вернулся. Марьяна уже легла, натянув на себя одеяло до самых глаз. Таблетку покорно проглотила, прикрыла ресницы и веки сгибом локтя и изобразила, что спит. Мячин чувствовал себя таким измученным, выпотрошенным и вывернутым наизнанку, что сам неожиданно тоже заснул. Во сне он увидел Хрусталева с яркими, рыже-золотистыми волосами, как у клоуна. Хрусталев был при этом не самим собой — статным, молодым и широкоплечим, — а постаревшим лет на тридцать, обрюзгшим, с испитым лицом и такой улыбкой, которая бывает у людей, пытающихся завоевать расположение окружающих.

«Надо же! — успел подумать Мячин. — Как его скрутило! А было на всех наплевать!»

Неузнаваемо изменившийся Хрусталев преследовал своей корыстной любовью какую-то женщину, тоже очень уже немолодую и совсем некрасивую, в которой Мячин тщетно пытался узнать то ли гримершу Лиду, то ли гримершу Женю, но это ему не удавалось. Корысть Хрусталева заключалась в том, чтобы вернуться на «Мосфильм», поскольку последние тридцать лет он работал оператором на болгарской киностудии «Бояна», жил на чужбине и тосковал по дому. Сон был каким-то липким, неприятным и мрачным. Понятно было, что прошло очень много лет, все стали стариками, все изменились, потускнели, обрюзгли, цепляются уже не за саму даже жизнь, а за ее обломки. Проснувшись, Мячин первым делом посмотрелся в ручное зеркальце, желая убедиться в том, что он все еще молод и полон сил. Марьяны, как он и предполагал, в комнате не было. Постель была по-вчерашнему аккуратно застелена, и в ногах лежало влажное махровое полотенце.

— Так можно рехнуться! — сказал себе Мячин. — Нет, правда! Так можно рехнуться!

День был долгим и утомительным, Регина Марковна разругалась с Сомовым, Будник опять начал капризничать и требовать, чтобы его заменили «гениальным» Рыбниковым, потом сказал, что он устал от «постоянной травли». Художник по костюмам Пичугин никак не мог решить, какую кепку надеть на молодого артиста Руслана Убыткина, который играл Васю-баяниста, и, хотя все кричали, что лучше этой белой, с полосатым козырьком, кепки нет ничего на свете, он все-таки сделал по-своему, откопал какую-то соломенную шляпу, оторвал у нее поля, обмотал ее полевыми цветами, одну ромашку свесил Руслану на левое ухо, колокольчик пристроил почти на лоб, и получилось действительно очень красочно, смешно и задорно. Наконец работа закончилась.

Съемочная группа с загорелыми, но измученными лицами поела борща с котлетами, и все разбрелись кто куда. Мячин заметил, что Марьяна исподтишка наблюдает за бывшими супругами Хрусталевыми, которые сидели на крылечке, тесно прижавшись друг к другу, и делали вид, что обсуждают текущую работу. На лице у Инги Хрусталевой было какое-то почти пьяное от счастья и удивленное этим счастьем выражение. Хрусталев был, как всегда, небрежен и спокоен, но Мячин заметил, что его левая рука, опирающаяся на ступеньку за спиной Инги, время от времени быстро гладит ее лопатки. Марьяна отвела глаза, похватала ртом воздух, как вытащенная на песок рыба, и сразу куда-то ушла.

«Осталось мне помучиться одну ночь! — подумал Мячин. — Ну, какие-нибудь семь часов в этой комнате! Я заставлю себя спать. Я _должен_ заснуть».

Он постоял перед закрытой дверью, потом постучался. Ее могло еще и не быть. Гуляет, может быть, где-то. Но глуховатый мерцающий голос отозвался, и Мячин вошел, сразу же устроился на своей перине и закрыл глаза. Она лежала на кровати, одетая, в клетчатом сарафане с белым кружевом по вырезу.

— Прочти мне какое-нибудь очень хорошее стихотворение. Самое хорошее, — вдруг попросила она.

— Я тебе прочту, — сказал Мячин. — Это вообще-то Фет. Его даже в школах не проходят.

Какое счастие: и ночь, и мы одни!
Река — как зеркало и вся блестит звездами;
А там-то... голову закинь-ка да взгляни:
Какая глубина и чистота над нами!
О, называй меня безумным! Назови
Чем хочешь. В этот миг я разумом слабею
И в сердце чувствую такой прилив любви,
Что не могу молчать, не стану, не умею!

Он перевел дыхание.

— Иди ко мне, — сказала она еле слышно и слегка приподнялась на локте. — Иди ко мне. Хочешь?

Он вскочил. Расстояние между периной на полу и этим белеющим локтем было ничтожным. Мячину оно показалось огромным. Марьяна встала и начала расстегивать пуговицы на своем клетчатом сарафане. Сарафан упал на пол. Мячин как будто ослеп: он не видел ее наготы, но чувствовал ее всю, так, как люди чувствуют воду. Она была настолько близко, что ему показалось, что это она, а не он отрывисто дышит сквозь стиснутые зубы. Он протянул ладонь и дотронулся до ее лица. Она задержала его ладонь обеими руками,

110

и тогда Мячин отчаянно, изо всех сил поцеловал ее в губы.

Инга не задавала Хрусталеву ни одного вопроса. И он не спрашивал у нее, как они будут теперь жить: переедет ли он обратно на Шаболовку или вернется в свою квартиру, стоит ли посвящать Аську в то, что они помирились, нужно ли скрывать от друзей и родственников волнующий факт, что «бывшие» Хрусталевы уже не «бывшие». Все решения хотелось оставить до возвращения в город, а здесь был почти отпуск, здесь пели птицы, колосилось поле, и рыбы в реке иногда, играючи, подпрыгивали над сонной водяной поверхностью так высоко, как будто хотели взлететь.

Никаких новостей от Кривицкого не было, и Сомов предположил, что Федор Андреич пал смертью храбрых от руки своей оскорбленной молодой жены.

— Типун тебе на язык, Аркадий! — в сердцах плюнула Регина Марковна. — По себе не суди!

— Если бы я по себе судил, Региша, — загадочно ответил Сомов, — ни одного из нас давно не было бы в живых.

Вечером в субботу вернулись в город. В деревне стояло лето, а в Москве вдруг пахнуло осенью, и даже острая свежесть разбитых арбузов, валяющихся кое-где на асфальте, странно напоминала об этом.

Глава 11

Просмотр отснятых деревенских эпизодов назначили на десять часов утра. Кривицкий приехал на служебной машине. Выглядел плохо и все время потирал рукой многострадальный копчик. Будник тут же сообщил всем, что копчик теперь выполняет в организме Федора Андреича функцию второго сердца: как люди невольно держатся за сердце, которое их когда-то беспокоило, так режиссер Кривицкий в минуты тревоги и волнения хватается за копчик. Никто не засмеялся удачной шутке, а Регина Марковна укоризненно покачала головой. Какое-то напряжение чувствовалось в воздухе, и, когда погасили свет и на экране замелькали первые кадры, напряжение это почему-то усилилось. Особенно мрачен и взволнован был Егор Мячин.

— Он теперь прыгать должен от радости, — заметила гримерша Женя, — добился своей ненаглядной...

— Боюсь, как бы эта ненаглядная его самого не добила! — яростно ответила ей сквозь зубы гримерша Лида. — Такой мужчина замечательный! Попался, как все... Увела из-под носа!

На экране сменяли друг друга то народный артист Геннадий Будник с гладко причесанной головой, в сорочке со стоячим воротничком, то Марьяна в красных лакированных тефельках, быстро перебегающая через залитый солнцем луг, то Инга Хрусталева с ведром, полным парного молока, в полупрозрачной капроновой кофточке, сквозь которую слегка просвечивали ее высокие груди. Когда появился наконец Вася-гармонист с заложенной за левое ухо ромашкой, Регина Марковна откровенно расхохоталась и одобрительно подняла кверху большой палец. Мячин затравленно оглянулся. Лицо Кривицкого было непроницаемым.

— Пошлятина, да? — шепотом спросил Мячин у Хрусталева.

Тот неопределенно пошевелил в воздухе рукой.

— Шедевром я бы этот фильм не назвал... Но в общем и целом...

— Издеваешься, да? — прошипел Мячин. — Хочется тебе меня по стенке размазать?

— А у меня разве нет никаких оснований? — вдруг быстро спросил Хрусталев и стал ярко-красным.

Секунду они смотрели друг другу в глаза. Потом Мячин вскочил и куда-то убежал. Кривицкий пожал плечами.

— Не беспокойтесь, други, — снисходительно заметил он. — Когда я был молодым и снимал свой первый фильм, у меня на всех просмотрах была точно такая же реакция. Потом все прошло.

— Не у всех это проходит, Федя, — заметил Хрусталев равнодушно. — Бывают такие упрямые, неповоротливые люди... С гипертрофированным представлением о своих дарованиях.

Мячин добежал до кабинета Пронина. Дверь к директору была наглухо закрыта, секретарша, поджав тонкие губки, поливала фикус.

— Листочек бумаги не найдется? — задыхаясь, спросил Мячин.

— Листочек найдется, — внимательно разглядывая его маленькими, глубоко посаженными глазками, ответила она. — Кому вы писать собрались?

— Не спрашивайте меня, пожалуйста! — взорвался вдруг Мячин. — К вам это уж точно никакого отношения не имеет!

Он сел на стул, расправил на колене предложенный секретаршей листок и начал торопливо строчить: «Прошу освободить меня от обязанностей режиссера-стажера в фильме Федора Кривицкого «Девушка и бригадир» в связи с несоответствием занимаемой должности».

— Вот, — сказал он секретарше. — Передайте это товарищу Пронину на подпись.

Она посмотрела на него недоверчиво:

— Вы это серьезно?

— Вполне.

Он вышел на улицу. Одна только мысль о том, что нужно вернуться на просмотр и потом обсуждать фильм, который не получился и не мог получиться, — одна эта мысль приводила его в бешенство. Он был бездарен и занимался не своим делом. И хорошо, что он понял это сейчас, а не потом, когда уже поздно будет что-то менять. Но главное было в другом: Марьяна стала его любовницей — он с особенной жесткостью произнес это слово — только потому, что Хрусталев бросил ее и она испугалась, что останется одна. Как же он мог забыть, что еще совсем недавно, в начале лета, когда так умопомрачительно пахло сиренью и лили дожди, она сказала ему: «Я никогда не полюблю вас, Егор, и никогда не выйду за вас замуж». Никогда! И еще она сказала ему, что у нее есть другой человек. Да, именно так и сказала: «Другой человек». А какая счастливая она была тогда, когда они столкнулись у двери ее квартиры! «Счастливей, чем я, быть просто невозможно...» Разве можно сравнить *те* ее глаза с *этими*, с нынешними ее глазами! Она ведь погасла. Она выживает, пытается выжить. Поэтому и прыгнула к нему в кровать, и пришла к нему со своим чемоданом! Открыто, на глазах у всех! Знала, что он не вспомнит о том, как она отказала ему два месяца назад! Знала, что он потеряет рассудок от одного того, что она так близко! И он потерял. Но слава богу, что опомнился. Еще не поздно. Нужно дождаться вечера, прийти к ней на Плющиху — теперь она сидит дома по вечерам, Хрусталев вернулся обратно к жене — прийти и спокойно сказать, что он уезжает и они расстаются. Навсегда. В Москве ему больше нечего делать, а жить можно везде, хоть в Америке. Ах, как это все просто и невыносимо больно закончилось! И все его надежды, все его дурацкие мечты, все эти фильмы, которые он мысленно снимал, когда просыпался по ночам и не мог заснуть, потому что они, эти несуществующие фильмы, наплывали на него из темноты. И он восхищался ими, поражался тому, насколько они умны, неожиданны, какие внутри диалоги и краски, и как зажигается свет в фонарях, и как ветер дует, живой, мощный ветер, он знал, что он будет снимать этот ветер не так, как другие, а без освещения, один нарастающий звук, гул и скрежет...

И вот все закончилось. Он слонялся по улицам, доехал зачем-то до Арбата, пошел бродить по переулкам. Из булочной запахло хлебом. Он увидел, как двое грузчиков разгружают горячие буханки «Бородинского». У одного их грузчиков было почему-то интеллигентное лицо. Он подумал, что вот так можно начать фильм: двое грузчиков разгружают «Бородинский», и у одного из них интеллигентное лицо. Он зашел в булочную и купил себе половинку «Бородинского». Сел в каком-то дворе на облупленную лавочку и принялся откусывать от горячего, приятно согревающего руки куска. Хлеб прилипал к зубам. Сгорбленная белоголовая старуха вышла с собакой. Собака была пуделем, очень старым, с подслеповатыми слезящимися глазами. Слезы, стекающие из уголков собачьих глаз, казались не прозрачными, а слегка голубоватыми.

Марьяна! Марьяна! Марьяна! Он ел горячий хлеб и вспоминал, какие у нее руки. Кожа на спине почувствовала их прикосновение. Как она гладила его после того, как все закончилось! Марьяна. Нужно уметь говорить себе «нет». Иначе ты будешь жалким вымогателем не счастья даже — потому что счастье, которое было у него, счастьем не называется, это все самообман, слепота, — да, ты будешь жалким вымогателем этой ничтожной радости и в конце концов станешь противен не только окружающим, но в первую очередь самому себе. Ему нужна ее любовь. Любовь, а не страх остаться одной после того, что ее бросили. Любовь с отчаяньем, с ревностью, со злобой, пусть, пусть, но любовь! А она смотрит на него с каким-то осторожным и нежным вниманием, словно привыкает к тому, что рядом в постели лежит он, Егор Мячин, а не тот «другой человек»! И каждый раз из тех трех, когда он входил в нее, она как-то быстро и отчаянно зажмуривалась, словно ее обжигало воспоминание! Все это нужно оборвать. Она станет актрисой, Кривицкий никогда не бросает своих любимцев, он поможет ей пробиться, и она забудет про учебу, пошлет куда подальше эту свою химию, у нее начнется новая жизнь, поездки, люди, автографы...

Начало постепенно темнеть. Ему захотелось напиться и лечь здесь, на этой вот лавочке. Спать, спать и спать. А завтра на поезд — и к матери в Брянск! И все. Как это поется у Визбора? «Прощай, Москва, не нужно слов и слез...» Ничего не нужно. Ком подступил к горлу. Он забежал в гастроном на Смоленской. В отдел «Соки-воды» стояла небольшая очередь. Он выпил два стакана томатного. Черной гнутой ложечкой зачерпнул размокшей соли из тарелки, посолил. Сок был с мякотью.

В половине десятого Мячин позвонил в дверь квартиры Пичугиных. Главное, как можно быстрее произнести ей то, что он решил, и сразу уйти. Открыл Александр, у которого, как с удивлением заметил Мячин, были какие-то лихорадочные, словно пьяные глаза.

— Мне срочно нужна Марьяна, — сказал Мячин очень решительно.

— Она спит, — отводя взгляд, ответил Пичугин.

— Разбуди ее!

— Зачем? Ей нездоровится.

— Я тебе говорю: разбуди!

Пичугин пожал плечами. Потом раздался тихий голос Марьяны:

— Санча, я не сплю. Это что, Егор?

Она вышла из-за шкафа, который перегораживал большую комнату, в длинной ночной рубашке и наброшенной сверху кофте. Щеки у нее горели.

— Егор! Что случилось?

— Я хочу тебе что-то сказать. Это очень важно.

— Хорошо. — Она опустила глаза. — Хорошо. Тогда давай выйдем на лестницу.

— Я могу уйти, — пробормотал Пичугин. — Бабуля у соседки. Никто вас не будет подслушивать.

— Нет, лучше мы выйдем на лестницу, — решил Мячин.

Они вышли. Ему показалось, что Марьяна хочет поцеловать его, но не решается. Он отступил от нее, облокотился о перила.

— Я уезжаю в Брянск, к матери.

— Надолго?

— Навсегда.

На лице у нее появилось выражение, которое он уже несколько раз замечал: кроткого и болезненного недоумения, странно соединенного с покорностью. Она и недоумевала, и одновременно готова была принять все, что ей выпадает.

— Ты можешь сказать почему? — спросила она совсем тихо.

— Могу. Ты не любишь меня. Это ошибка.

Она покачала головой.

— Егор, это неправда. Все гораздо сложнее.

— Сложнее? — Он даже вскрикнул. — Конечно, сложнее! Ты не хочешь быть одна, и я это отлично понимаю! Я тебя нисколько не осуждаю! Это я заставил тебя стать моей любовницей! — Он снова с той же непонятной жесткостью выговорил это слово. — Я ходил за тобой по пятам, я преследовал тебя своими воздыханиями! Во всем виноват один я!

— Значит, — не глядя на него, прошептала она, — значит, эти твои «воздыхания» были притворством? Или как?

— При чем тут мои «воздыхания»? Я не притворялся. Я тебе ни разу не сказал ни слова неправды. Но речь не обо мне, речь о тебе. Ты никогда не любила меня и никогда не сможешь полюбить.

Она хотела возразить, полуоткрыла рот, но он перебил ее:

120

— Ты не сможешь полюбить меня и вечно будешь мучиться со мной. Я совсем не тот человек, который тебе нужен.

— Знаешь, Егор? — у нее задрожали губы. — Никто не знает, кто кому нужен и зачем. — Она усмехнулась болезненно. — Людям только кажется, что они это знают, но они обманывают себя.

— Я тебя люблю и не разлюблю никогда, — почти грубо произнес он. — Но мы не будем счастливы вместе. Кроме того, ты станешь очень хорошей актрисой. Знаменитой. А я никакой не режиссер, я полное фуфло. И слава богу, что я наконец-то это понял. Ну, все. Я пошел. Прости меня, ладно?

— Егор! Подожди! — прошептала она и нерешительно переступила босыми ногами. — Пожалуйста...

Но он уже сбегал по лестнице, дробно стуча ботинками. В пролете не удержался, поднял голову. Она стояла неподвижно, плотно завернувшись в кофту, и ее маленькие босые ноги ярко белели на грязном и затоптанном каменном полу.

Было уже поздно, все магазины закрыты. Но у таксистов всегда можно купить спиртное. Мячин пересчитал деньги в кармане. Хватит на две бутылки. Он дошел до Смоленской. У метро стояло несколько раздолбанных машин. Водители

121

спали, откинувшись на сиденьях, открыв рты. Мячин постучал в первое окошко.

— Друг! Есть выпивка?

Таксист с большим, угреватым лицом открыл сонные глаза и внимательно изучил Мячина.

— Ну, есть.

— Дай скорее!

— Что? К бабе идешь? — усмехнулся таксист.

— *От* бабы иду, — уточнил глухо Мячин.

Засунул бутылки в карманы и опять завернул в какой-то дворик. Жалко, что хлеба больше не было. Зато он все сделал правильно: объяснил ей так, что она поняла и согласилась с ним. Она и сама знала, что их связь будет ошибкой, она была уже готова к этому разговору. Иначе она не отпустила бы его. Он заново вспомнил всю сцену. Увидел ее покорное болезненное лицо. Да, она была готова к этому. И она сама бы сказала ему то же самое через неделю-другую. Но он поступил по-мужски. Избавил ее. Мячин закинул голову. Нагревшаяся за день водка сама полилась в горло, как будто обрадовавшись, что ее освободили. Он выпил почти полбутылки, не отрываясь. Потом поставил бутылку на землю. Глаза его помутнели, сердце начало как-то странно замирать и вдруг бешено и гулко колотиться. Ночь наступила, светлая и, как показалось Мячину, странная. Огромные матовые облака выросли в небе, оно сделалось еще больше и еще зеркальнее, еще равнодушнее стала сиявшая между двумя расступившимися облаками луна.

«Ну вот все и кончилось, — подумал он бесстрастно, словно речь шла не о нем самом и не о его молодой жизни, а о ком-то другом, кого он и в глаза не видел. — Завтра куплю билет и... — Он помолчал. — И... «Сюда я больше не ездок!»

Он коротко хохотнул в темноту:

— Еще один Чацкий! А кстати, он встретился с Софьей? Ну, лет через двадцать?

Глава 12

Марьяна лежала у себя в закутке, за шкафом. Бабушка с Александром о чем-то еле слышно шептались на кухне, и их тревожные голоса сливались в монотонное и однообразное жужжание. Какая разница, о чем они сейчас шепчутся? Егор уезжает. Она только-только начала привязываться к нему, только-только начала привыкать к его рукам, запаху его кожи, его близости. Она поверила, что он действительно дорожит ею, однако и здесь ошиблась. Он почувствовал, что с ее стороны это не любовь, не страсть, не обморочное замирание, которое она испытывала всякий раз, как только

Хрусталев дотрагивался до нее, — это совсем другое. Благодарность? Да, конечно. Страх остаться одной? И это тоже. Женское тщеславие от того, что тебя так хотят, так любят, так сходят с ума? Да, да. Но он прав. Лучше расстаться сейчас, чем потом обманывать друг друга всю жизнь. Она рывком села на кровати. Почему же обязательно обманывать? Разве она не готова была к тому, чтобы полюбить его? Полюбить так же сильно и безоглядно, как она любила Хрусталева? Марьяна затрясла головой. Ох, нет, не готова! А если бы Хрусталев позвонил сейчас и сказал, что ждет ее на углу в машине? Что бы она сделала? То же самое, что и всегда: напялила бы платье и понеслась к нему, как на крыльях. И ни о чем не стала бы спрашивать! И ни в чем не упрекнула бы! Только бы он обнял ее. Только бы почувствовать на своих губах его горькое, с привкусом табака дыхание. Она вдруг вспомнила, как совсем недавно, на съемках, она сидела на траве, ждала, пока ее позовут на пробу, а Сомов с Хрусталевым устроили перекур неподалеку от нее, под деревом. Она увидела кусок его крепкой, худой и смуглой ноги в задравшейся штанине, его выпуклую щиколотку, и вдруг исступленная любовь к нему и желание, чтобы он немедленно обнял ее и сделал с ней все, что захочет, так сжало ее всю, что Марьяна, не справившись с собой, встала и пересела подальше от этого дерева. Ей показалось, что он все понял, он почувствовал, что с ней творится, и тот беглый взгляд, который она поймала на себе, когда оглянулась, — тот его строгий и одновременно ласкающий, — да, этот ласкающий взгляд, властный, хищный, взгляд собственника, хозяина, взгляд, который она так хорошо знала и так часто ловила на себе, вдруг вспыхнул, как фары, и тут же погас.

Да, да, все кончено. Егор уезжает. Господи, как, оказывается, больно жить на свете. Не просто больно — невыносимо. А ведь она и не догадывалась об этом. И бабушка ничего такого не говорила. Она не хотела их с Санчей пугать, поэтому всегда улыбалась, гладила их по головам, прижимала к себе, успокаивала, что все будет хорошо, все будет отлично. Бедная, бедная, родная моя бабуля! Она так настрадалась, такой страх обрушился на нее, когда вдруг катком для асфальта размяло семью, остались они, два птенца-малолетка, и бабушка, всегда такая нарядная, оживленная, окруженная друзьями, должна была выжить сама и их вместе с братом спасти. Она и спасла. Маму с папой забрали двадцать восьмого декабря, а уже двадцать девятого утром они, закутанные в огромные платки, в неуклюжих валенках, сидели на Московском вокзале, ждали поезда. Начались

скитания с одного места в другое, из одного дет-
ского сада в другой, из одной школы в другую, еще
меньше, еще незаметнее. Бабушка заметала следы.
Она знала, что делает, ей подсказали. Друг ее покойного мужа, Всеволод Андреевич Завадовский,
всю жизнь любивший бабушку неразделенной
и преданной любовью, работал врачом в Кремлев-
ской больнице. Он был осведомлен о происходя-
щем лучше, чем другие. Бабушка всегда говорила, что для них он рискнул головой. Но Всеволод
Андреевич был хирургом от Бога, его не тронули,
хотя связь его с семьей Пичугиных не была ни для
кого секретом. И деньги на первое время дал тоже
он, и все те, которые их принимали, и кормили,
и прятали, были как-то обязаны Завадовскому.
Летом сорок первого года, незадолго до начала
войны, он написал бабушке письмо, в котором
предлагал ей свою руку. Бабушка долго и горько
плакала, пока читала. Потом не выдержала, пошла
к хозяйке тете Груше, доброй, отзывчивой и простой. Маленькая Марьяна увязалась за ней.

— Груня, — сказала бабушка, вытирая слезы. —
Ты мне как сестре скажи: что делать?

И прочитала кусочек из этого письма, который
Марьяна запомнила на всю жизнь: «Милая моя,
я не говорю о том, что ты будешь счастлива со

мной, но я прошу тебя: позволь мне только помочь тебе. И больше мне ничего не нужно».

Тетя Груша нахмурила брови и долго молчала. Потом сказала:

— Нельзя. Не ходи. Какой-никакой, а мужик. Он что, тебе в няньки сейчас попросился? Мужик есть мужик. Раз он женился, он, значит, хозяин. А ты раз посмотришь не так, как он хочет, да станешь не тем к нему боком, да ойкнешь — вот тут он тебе и припомнит обиду! Мол, ты его в койке не любишь, не греешь — зачем ты пошла? На чужое польстилась? Для бабы первее всего, чтоб свобода. Чтоб хочет — легла, а не хочет — простите. Вот так вот я все понимаю про жизнь».

А бабушке было всего-навсего пятьдесят два года. А выглядела она, несмотря на все испытания, на сорок. И волосы у нее были до пояса. В войну только их отрезала. Бабушка послушалась, ответила отказом. Письма Всеволода Андреича перестали приходить, денежные переводы тоже. Бабушка думала: обиделся. Только через полгода, когда уже вовсю шла война и они перебрались в Свердловск, кто-то из артистов МХАТа, среди которых постоянно крутился Санча, сказал бабушке, что Завадовский умер от инфаркта за две недели до начала войны.

Может быть, когда она ответила на исступленную любовь Егора, в ней вспыхнули отголоски этой давнишней истории? Может быть, ее сознание связало двух разных людей: Мячина и доктора Завадовского, которого давно нет в живых? Она вытерла слезы ладонью, и тут же бабушка, тихая и легкая, с черепаховым гребнем в седых волосах, проскользнула к ней за шкаф, про который Санча говорил: «Он у нас работает стенкой».

— Марьяночка, — прошелестела она, заботливо натягивая на Марьяну одеяло. — У тебя со здоровьем все в порядке?

— Да, все. Я здорова, бабуля.

— Уверена, милая?

Марьяна ярко покраснела в темноте:

— У меня еще не началось, но мне кажется, что вот-вот начнется... Очень тянет низ живота. Это всегда так, знаешь? Когда должно вот-вот начаться.

Бабушка мягко погладила ее по плечу:

— Одни косточки остались... Кто тебя, такую худющую, замуж возьмет? Я тебя очень прошу: зайди завтра в поликлиннику, хорошо? Не дай бог, простуда. Пускай там посмотрят.

Сердце ее замирало от страха, тошнота подступала к горлу. Как же она не подумала *об этом?* *«Господи, Господи, прошу Тебя, только чтобы не беременность! Только не это! Что же мне тогда де-*

лать? И как я буду смотреть в глаза бабушке, Сан-
че, Егору? Нет, это даже лучше, что Егор уезжает.
Иначе было бы совсем ужасно. Потому что... пото-
му что... Ребенок может быть только от Виктора.
Да, только от Виктора. Господи, Господи... сделай
так, чтобы этого не было!»

Утром Марьяна позвонила Регине Марковне
и сказала, что Мячин собирается уехать к матери
в Брянск. Не хочет заканчивать фильм. Регина
Марковна завыла волчицей.

— В какой еще Брянск?

— Он сказал, что уезжает сегодня.

— Кривицкому сообщила?

Марьяна растерялась:

— Кривицкому? Нет. Как же я... Мне неловко...

Регина Марковна с такой силой хлопнула себя
ладонью по лбу, что в руке у Марьяны задрожала
трубка.

— Ах, да! Что же я говорю!

— Регина Марковна, — прошептала Марьяна, — вы же понимаете, что у нас с Федором Анд-
реичем чисто деловые отношения...

— Да мне не до это-о-о-ого-о! — заорала Регина Марковна. — В гроб вы меня все сведете со
своими отноше-е-ениями-и-и! Кино нужно делать! Идите все в жопу!

На том разговор и закончился. Марьяна туго затянула волосы узлом на затылке, надела простые черные туфельки, скромный, бабушкой связанный свитерок и отправилась в поликлинику. В регистратуру была длинная очередь, но, как ни странно, ее записали на сегодняшний прием к гинекологу Дариде Петровне Ушадзе, и подождать нужно было всего полтора часа. Она пристроилась на стуле у самого окна и принялась ждать. В приемной сидели две беременные: рыжеволосая, длинноногая, и маленькая, кудрявая, как африканка, с выпуклыми глазами. Потом пришла стройная женщина, сильно накрашенная, немолодая, но очень аккуратно одетая, с таким длинными и острыми ногтями, словно она, как ястреб, сама добывает себе пищу. Беременные сначала молчали, потом начали разговаривать. Марьяна невольно прислушалась.

— А мой говорит: «Все равно ты от меня никуда не денешься, — рассказывала африканка. — Все равно ты, — говорит, — никуда от меня не денешься. А ребенка я усыновлю. И как своего любить буду». Тогда я оставила. Он парень ведь честный. Сказал — так и сделает.

— А тот-то куда провалился? Ну, первый? — со страстью выспрашивала рыжеволосая и длинноногая.

— К жене провалился. Куда же еще!

Сильно накрашенная немолодая наконец не выдержала:

— Вот вы как, значит, рассуждаете! Вам, значит, плевать, что у человека жена есть, дети растут! Вам только бы семью разбить, только бы чужую жизнь поломать!

— А я его к себе не звала! — огрызнулась африканка. — Он сам прибежал.

«Разведусь! Разведусь!»

— Зачем ты легла? — с откровенной ненавистью выдохнула накрашенная. — Холостых мало?

— Песню слыхали? «Огней так много золотыы-х на улицах Саратова, парней так много-о-о холостых, а я люблю жена-а-атого-о-о!»

Из кабинета высунулась медсестра и, заглядывая в журнал, позвала:

— Абызина!

Рыжеволосая встала и пошла. Дверь за нею захлопнулась.

«Как они только двигаются с такими животами! — подумала Марьяна. — Наверное, ведь тяжело!»

Минут через сорок позвали ее. Дарида Петровна что-то писала и на вошедшую Марьяну совсем не обратила внимания. Медсестра, женщина лет пятидесяти, с большим раздраженным лицом, коротко сказала:

— Раздевайтесь! Возьмите пеленочку!

— Где? — удивилась Марьяна.

— Первый раз, что ли? — спросила медсестра.

Марьяна кивнула.

— Скажите на милость! — пробормотала сквозь зубы Дарида Петровна и тяжело поднялась. — Ложитесь!

— Куда?

— На кресло. Куда же еще?

Марьяна легла, закинула голову.

— Ноги пошире! Расслабьтесь!

Она ощутила холод огромных железных ножниц. Или это просто похоже на ножницы? Они раздвинули ее, и Дарида Петровна, нагнувшись, принялась рассматривать, что у нее внутри. Потом пальцами правой руки в резиновых перчатках залезла внутрь, а ладонью левой начала с силой надавливать на низ живота. Марьяна затаила дыхание, слезы выступили на глаза. Дарида Петровна наконец вынула руку, с привычной брезгливостью освободилась от перчаток и коротко сказала ей:

— Одевайтесь!

Дрожа от неловкости и страха, Марьяна пошла было за ширму, где лежали ее юбка, пояс, чулки и черные туфельки, но медсестра прикрикнула на нее:

— Пеленку я за вас убирать буду?

— Женщина, поторопитесь! — сердито сказала Дарида Петровна. — Вы же не одна у меня!

Марьяна проделала все, что ей велели, оделась, путаясь в вещах. Дарида Петровна кивнула на стул:

— Садитесь. Беременность — восемь недель. Оставляете?

— Что? — в страхе спросила Марьяна.

— Женщина, вы беременны, — холодно сказала Дарида Петровна. — Сохраняете беременность? Знаете, кто отец ребенка?

— Я беременна?

— Ну, не я же, — усмехнулась Дарида Петровна. Марьяна заметила, что верхняя губа у нее покрыта густой черной растительностью. — Вы давно живете половой жизнью?

Марьяне хотелось провалиться сквозь землю:

— С весны. Да, с весны, с конца мая.

— Партнеров меняли?

— Партнеров?

— Партнеров! Любовников! Что непонятного?

— Да. Я поменяла... партнера... Недавно.

— Недавно: когда?

— Ну, неделю назад...

Дарида Петровна переглянулась с медсестрой. Та пожала плечами.

— Работаете?

— Нет, учусь. Не работаю...

— Короче, рожать собираетесь? Нет?

Марьяна низко опустила голову.

— Не знаю. Все так неожиданно... Очень...

— А вы что, не знали, откуда берутся детишки? Не знали? Вы думали, что их в капусте находят?

Марьяна затравленно оглянулась на медсестру.

— У вас есть недели три на решение, — сердито сказала Дарида Петровна. — Захотите выскабливать, придете опять, я выпишу направление. В любом случае вам нужно сделать все анализы. Это вне зависимости от того, сохраните ли вы вашу беременность или нет. Вот эту форму заполните и идите в лабораторию. Может, еще сегодня успеете.

Она вышла из кабинета, не чувствуя ног. Ребенок. Значит, она беременна, а Хрусталев, как сказала эта кудрявая в очереди, «провалился к жене». Она будет матерью-одиночкой, как уборщица у них в школе, тетя Маруся, сын которой, Вовка, учился с Марьяной в одном классе, и тетя Маруся, маленькая и вся какая-то кривенькая, говорила про него «безотцовщина». Бабушка не переживет, а Санча начнет стыдиться ее, потому что вообще «чистоплюй», как дразнили его в детстве. Ах, да при чем здесь Санча! Мысли ее начали путаться. Что же теперь делать? Какое жуткое слово произнесла эта усатая докторша.

«Выскабливать»! «Выскабливать» ребенка, маленького, крошечного, живого мальчика или маленькую, крошечную, живую девочку. Марьяна опустилась на лавочку, ноги не держали ее. Ей вдруг пришло в голову, что если бы мама, которой она почти не запомнила, «выскоблила» бы ее, или Санчу, или их обоих вместе, то ведь ничего бы этого не было: ни этого неба, ни этого облака, ни дерева, ни даже вон той паутинки... А было бы — что? Темнота? Или что-то еще страшнее темноты? Опять почему-то вспомнилась тетя Груша, которая говорила бабушке:

— Ты, Заинька, верь! Верь, и все! Он дитят не оставит!

Она всегда обращалась к бабушке не «Зоинька», а «Заинька». Это запомнилось. Марьяна вдруг вся залилась густой краской и вскочила с лавочки. Нечего идти в лабораторию и делать какие-то дурацкие анализы! Нужно понять главное. Нужно пойти к Вите и сказать ему, что будет ребенок. Ей вдруг показалось, что это будет мальчик и она непременно назовет его Александром. Не «Санчей», как это придумал себе ее брат, а Сашей или Саней. Она побежала к метро. Он должен быть дома, сегодня нет ни съемок, ни просмотров. Все ждут Кривицкого, а он засел на даче и не подходит к телефону. Марьяна почувствовала еле заметный запах пота от своих подмышек. Она вся вспотела, Господи! Нельзя же так появляться перед ним. Но ехать домой и увидеть вопросительные глаза бабушки — еще хуже. Гримерша Женя вчера сказала, что в ГУМе выбросили французские духи «Клима», жуткая была очередь, всю вчерашнюю партию сразу раскупили, и две женщины так подрались из-за последней коробочки, что пришлось вызывать милицию. Но сегодня после обеда ждут, что выбросят еще партию, и многие вчера не ушли домой, образовали новую очередь, написали чернильным карандашом номера на ладонях и ночевали прямо на площади. Вели себя тихо, вежливо, к милиционерам нашли подход.

Вот если бы ей повезло и она купила бы себе такие духи! Деньги есть, на студии выдали аванс. Лицо ее горело, руки и ноги были холодными как лед. В метро какой-то парень, сидящий напротив, долго смотрел на нее и вдруг подмигнул. Она отвернулась. Он встал и подошел, наклонился. Вагон шатало. Парень изобразил, что еле удержался на ногах, и дотронулся ладонью до ее волос.

— Девушка! Из какой вы сказки?

Она порывисто поднялась и шагнула к выходу. Он с жадностью посмотрел ей вслед. Двери плавно раздвинулись. До ГУМа она добежала за несколько минут. Часы пробили пять. Зачем ей ГУМ? Ах да! Духи! Никаких «Клима» нигде не продавали. На полке стояли обычные флаконы с «Красной Москвой», «Лавандой» и «Серебристым ландышем». Лучше что-нибудь купить в подарок Вите. Конечно! Как же она не подумала? Он ведь совсем недавно был в тюрьме и, наверное, столько страху натерпелся! Еще бы! Если человека ни за что ни про что хватают и сажают в тюрьму по подозрению в убийстве!

Она заглянула в отдел мужской обуви. Тяжелые зимние ботинки производства фабрики «Скороход» смотрели на посетителей так угрюмо, что не только покупать, но даже и притрагиваться к ним не хотелось. И галстуки были какие-то мрачные. Вот китайские махровые полотенца резали взгляд своими пронзительными красками. Но зачем ему китайское полотенце? Вдруг она ахнула и быстро побежала вниз по лестнице в гастроном. Нужно купить ему коньяк! Самый лучший, который только бывает, и самый дорогой. Коньяк и конфеты. И вот так, с коньяком и конфетами, позвонить в дверь и сказать, что она ждет ребенка.

Во все остальные отделы, кроме винно-водочного, были длинные очереди, а тут ей повезло: всего десять-двенадцать человек. Она спросила у продавца с широким и плоским, как блин, лицом, какой у них самый лучший коньяк.

— Берите «Арарат», не ошибетесь, — сказал продавец. — Можно еще «Двин», но он дорогой.

— Сколько? — уточнила Марьяна

— Восемнадцать рублей, — с уважением к коньяку «Двин» ответил продавец. — А вам для кого?

— Для мужа, — сказала она и вся покрылась краской.

— Ну, думайте, женщина. Муж — это дело серьезное. — Он улыбнулся, блеснув золотым зубом.

На «Арарат» денег хватило, осталось еще на конфеты. Она зашла в уборную, сняла свитерок, спустила бретельки комбинации и лифчика, холодной водой вымыла под краном подмышки, чтобы не пахли потом. В половине седьмого позвонила в знакомую дверь. Хрусталев, как ни странно, был дома и открыл сразу же. Искра пробежала по его лицу, когда он увидел Марьяну.

— Прости меня, пожалуйста, что я без звонка, — быстро сказала она.

— Ты меня случайно застала. — Он слегка поморщился. — Проходи.

Она прошла и села на диван. Вынула из сумки бутылку «Арарата» и шоколадный набор.

— Что это у нас за праздник? — удивился он.

— Давай выпьем, — пробормотала она дрожащими губами.

— Волшебная сила искусства! — воскликнул Хрусталев, открывая коньяк. — Две недели на съемках художественного фильма «Девушка и бригадир» в корне меняют привычки начинающих актрис!

Он небрежно плеснул коньяк на дно двух стаканов. Марьяна не смогла сделать ни глотка: зубы застучали.

— Так что за событие? — пристально глядя на нее, спросил он.

— Витя! — Она положила руку на горло, внутри которого набухал соленый ком. — Я жду ребенка.

Он быстро опустил глаза.

— Давно?

— Я сегодня узнала. Сказали, что восемь недель.

Он присвистнул. Потом опять посмотрел на нее, но каким-то другим, новым взглядом, словно ему самому стало вдруг страшно, но он не хотел, чтобы она заметила его страх.

— Ты ведь знаешь, наверное, — медленно сказал он, — что я вернулся к Инге и к дочери.

— Я знаю! — поспешно перебила она. — Я просто хотела... сказать...

— Ты сказала.

Он взял себя в руки, и лицо его приняло обычное, спокойное выражение.

— Марьяна! Ты сказала, и я тебя услышал. Я тоже кое-что сказал. И ты тоже меня услышала.

Она опустила голову.

— Тогда я пойду?

— Конечно, — кивнул он. — Иди. Возьми только этот коньяк. И конфеты.

Она взяла коньяк, взяла конфеты, положила обратно в сумку, не глядя на него. Он распахнул перед нею дверь.

— Увидимся завтра на съемках. Да, кстати! Спасибо за Мячина.

— За что? — машинально переспросила она.

— За Мячина. Регина Марковна сказала, что это ты позвонила ей. Никто ведь не знал, что он собирается сбежать. Мы его вернули. Сняли, проще говоря, с поезда.

Она начала медленно спускаться по лестнице. Он стоял в дверях, смотрел ей вслед. Она почувствовала, что лицо ее стало горячим, мокрым и соленым. Обернулась. Они встретились глазами, и Хрусталев быстро отступил назад, захлопнул дверь.

На улице было темно, накрапывал мелкий, пахнущий осенью дождик. Какая-то кошка утробно урчала внутри большого помойного бака. Наверное, что-то ела там торопливо, давясь от голодной жадности. Марьяна опустилась на знакомую лавочку, достала из сумки коньяк, отвинтила пробку и начала пить прямо из горлышка, обжигаясь и сглатывая слезы. Ей показалось, что она сейчас умрет, задохнется, и эта мысль принесла облегчение. Конечно, это было бы лучше всего: просто умереть. Никого не мучить больше. Она выпила почти четверть бутылки. Голову ее облило холодом, но руки и ноги приятно согрелись. Потом вдруг смертельно захотелось спать. Она свернулась клубочком и легла. Тонкий, как младенческий волос, блеснул на небе серп месяца. Кошачье урчание притихло.

В большом каменном доме на Плющихе одно за другим гасли окна. Жильцы укладывались в кровати, натягивали на себя одеяла. Женщины проверяли на голове большие железные бигуди: не слетели бы во сне, не попортили бы на завтра прическу. Бабушка и Санча сидели друг против друга на кухне и делали вид, что их ничего не тревожит. Потом бабушка осторожно сказала:

— Может быть, я все-таки позвоню ее подругам?

— Да, — нехотя согласился Санча, — я думаю, что так будет лучше. Ты только не волнуйся.

Бабушка долго искала очки, потом записную книжку. Маленькие руки ее с тонким обручальным кольцом начали дрожать, очки упали на пол.

В эту минуту в дверь позвонили. Санча опередил бабушку и открыл сам. Два милиционера держали под руки пьяную и заплаканную Марьяну, которая при виде Санчи и бабушки заслонилась рукавом и разрыдалась. Бабушка уронила руки и прислонилась к стене.

— Ваша? — неловко кашлянув, спросил один из милиционеров.

— Моя! Моя! Наша! — вскрикнула бабушка и, оторвавшись от стены, припала к Марьяне, обняла ее. — Наша!

— Мы ее на лавочке подобрали. Пьяная, конечно, но все соображает, плачет. И выглядит очень прилично. Красивая, молоденькая. Мы сначала думали: в вытрезвитель, и все дела. А потом пожалели. Она сказала, что в университете учится — ну, вы сами понимаете: в университет-то придется сообщить, пойдут разборки. Мы ее в машину и домой. Адрес она сама назвала, на все вопросы ответила внятно. Забирайте.

— Бабуленька, — пробормотала Марьяна, уткнувшись лицом в седые волосы Зои Владимировны. — Бабуленька моя, прости меня, пожалуйста!

Милиционеры потоптались на пороге и ушли. Санча, побелевший как полотно, отчего его тонкое и нежно очерченное лицо стало еще выразительней, погладил Марьяну по спине и глухо сказал:

— Поспи, все пройдет.

— Меня тошнит, — со страхом прошептала она. — Ужасно тошнит!

— Ничего, ничего, деточка. — Бабушка поцеловала ее мокрый лоб, прижала к себе еще крепче. — Пойдем, ты помоешься, ляжешь, я сейчас тебе чайку заварю. Пойдем, моя ласточка...

Марьяна с силой вырвалась, бросилась в уборную, и в полуоткрытую дверь они увидели, как ее выворачивает над унитазом.

— Это опьянение, ба, — так же глухо сказал Санча. — Она же не привыкла.

В глазах Зои Владимировны мелькнуло недоверчивое выражение.

— Может быть, — сказала она уклончиво. — А опьянение откуда вдруг взялось?

Марьяна помнила все до того момента, как провалилась в сон, аккуратно поставив рядом с собой коньячную бутылку. Она смутно почувствовала над головой чужие голоса, прикосновение чьих-то рук и острое желание извиниться перед теми, которые разговаривали с ней и пытались ее разбудить. Потом она почувствовала, как ее подняли с лавочки, усадили в машину и она четко, изо всех сил стараясь ничего не перепутать, сказала свой адрес. В машине она опять задремала и окончательно пришла в себя только на пороге своего дома, увидев остановившиеся глаза бабушки и белое лицо брата. Потом ее вырвало, и бабушка посадила ее в теплую ванну, намылила и, как в детстве, поливала сверху из ковшика. Потом она опять провалилась.

Проснулась поздно, за окном было темно от ливня, и стоял мерный, глубокий звук падающей с неба воды, отчего казалось, что кто-то невидимый подхватывает на лопату огромные комья земли и с силой сбрасывает их в пустоту. Бабушка, улыбаясь, как будто ничего не произошло, вошла к ней за шкаф с подносом, на котором дымилась чашка крепкого чая.

— Оденешься? Встанешь? Или хочешь сегодня поваляться?

— Бабуленька, сядь, — прошептала Марьяна.

Зоя Владимировна поставила поднос на коврик, села на кровать, нащупала Марьянину руку и поцеловала в ладонь.

— Я тебе должна сказать одну вещь... — со страхом прошептала Марьяна.

— Я знаю, — спокойно ответила бабушка. — По мне так лучше бы девочку, мы ее с Сашей наряжать будем. А то он говорит: «Смотри, как у нас дети безобразно одеты! В какие цвета! А ведь для них моделировать — одно удовольствие!»

Глава 13

Хрусталев почему-то меньше всего ожидал, что однажды она придет и скажет ему, что ждет ребенка. В его жизни было несколько подобных эпизодов: женщины, с которыми он был близок, сообщали, что беременны, и смотрели на него вопросительными и требовательными глазами. Ему становилось стыдно, неприятно, но помогало то, что он не испытывал никакой любви и ждал только, чтобы его поскорее оставили в покое. На сообщение о беременности Хрусталев реагировал холодно и, когда очередная отвергнутая уходила, унося во чреве его будущего ребенка, которому не суждено было родиться на свет, сразу же обрывал отношения. Некоторые, правда, еще пытались дозвониться до него, плакали в трубку или поджидали его на стоянке возле «Мосфильма».

Сейчас, когда пришла Марьяна с ее ясными глазами и робкой улыбкой и он, глядя прямо в эти глаза, произнес то же самое, что произносил всегда, — сейчас у него было такое чувство, что он сделал что-то такое, о чем долго не сможет забыть. Конечно, аборт. Срок не может быть больше, чем шесть-семь недель. Ей, правда, сказали, что восемь, но они могли ошибиться. В хорошей клиникс все сделают быстро, безболезненно, под наркозом. Все будет в порядке. К тому же у нее роман с Мячиным, полным психопатом. Одна эта история, как его сегодня утром снимали с поезда, дорогого стоит! Операцией по задержке отправления состава руководила Регина Марковна, нарядная, в новом, обтягивающем ее пышные формы платье, с черным капроновым бантом в волосах. Она заговаривала зубы проводнице, а они с Сомовым и Русланом вытаскивали брыкавшегося и упиравшегося режиссера из плацкартного вагона. Пассажиры, жадные до зрелищ, помогали им, как могли. Одна из женщин, распаренная и оттого, наверное, так сильно запахшая дрожжами, стучала по лохматой голове Мячина игрушечной саблей своего маленького сына и кричала таким вкусным и жирным голосом, что его хотелось записать на пленку:

— Попался, мерзавец! Попался, ворюга!

Мячина наконец извлекли из гущи человеческих тел, хотя один из его куцых рюкзачков так и уехал в город Брянск без хозяина.

— Егор! Ты совсем оборзел? — сдержанно спросила его Регина Марковна, поправляя свой капроновый бант.

Мячин схватился за голову, несколько раз повторил, что он пытается спасти фильм, а о себе не думает, потом попросил отвезти его прямо в «стекляшку», где их поджидал хладнокровный Таридзе. Таридзе налил ассистенту коньячку и посоветовал Регине Марковне безотлагательно «заняться первым режиссером».

— Да как им заняться! — вскинула руки к небесам Регина Марковна. — Надька его все простить не может. Я сегодня звонила, она мне говорит: «Прости, убегаю в Дом моделей, там сегодня показ осенней моды. Машенька останется с мамой, мама приехала, и с домработницей. Тороплюсь на электричку!» Я говорю: «А сам-то где? Можно с ним поговорить?» Она мне в ответ так небрежно, сквозь зубы: «Боюсь, что нельзя. Он лежит на диване в предзапойном состоянии, ни с кем не общается!» Я наорала на нее, конечно: «Ты его окончательно добить решила?» Она зачирикала, защебетала, обещала, что подумает. Такие дела.

— Лучше бы я молотобойцем работал! — тихо сказал Таридзе. — Мне дед говорил: «Гия, дорогой! Иди молотобойцем! Чистая работа, для настоящего мужчины! Никогда волноваться не будешь!» А я, идиот, не послушался!

— А ты, Гия, дорогой, и есть молотобоец! — заметил Сомов. — Ты, Гия, атлант, на тебе мы все держимся!

Да, Мячин не самый уравновешенный человек на земле, ей будет нелегко с ним. Впрочем, это ведь ее выбор. Честно говоря, Хрусталев не ожидал, что она так просто, не прячась, переедет в комнату этого мальчишки со своим чемоданом! Если бы речь шла о другой женщине, он бы подумал, что она делает это назло ему, мстит, пытается вызвать ревность, но Марьяна с ее простодушием, доверчивостью и открытым сердцем не стала бы разыгрывать такие спектакли, это не похоже на нее. Значит, именно простодушие и продиктовало ей этот шаг: другая бы сделала исподтишка, осторожно, сто раз отмерив, а эта просто-напросто взяла чемодан и переехала. Он вдруг потемнел. Переехала и легла. Любовь. Что поделаешь, некогда ждать! Но если у них все в порядке, зачем Мячину удирать к матери в Брянск? Может быть, он знает о ее беременности? Хрусталеву вдруг захотелось подойти и изо всех сил стукнуться головой о стену. Он вспомнил, что недавно вернулся к *своей* жене и *своему* ребенку. Аська, бедная, старается изо всех сил.

— Папа, — спросила она позавчера вечером, когда они все вместе сели ужинать. — А зачем тебе платить деньги за ту, другую квартиру? Ведь ты там больше не живешь?

И это ждущее, отчаянное выражение в ее глазах! Этот страх, что он может сказать что-то, от чего все ее надежды полетят к черту! Намучали они ее, два идиота! Ложась с ним в постель, Инга прижимает палец к губам: «Тихо!» — и они ждут, пока из соседней комнаты не раздастся Аськино тихое, глубокое дыхание. Заснула.

Оказывается, он ничего не забыл за эти восемь лет их развода! Ни то, как пахнет ее кожа, ни то, как она вдруг светлеет лицом и закрывает глаза перед тем, как вскрикнуть в последний раз, и вскрик этот, гортанный, внезапный и резкий, похож на то, как кричат чайки, увидев на воде тень от мелькнувшего в глубине рыбьего косяка.

Жена. Сколько они ранили друг друга! И каждый раз казалось, что вот *этого* простить нельзя. Оказывается, простить можно все. Или почти все. Но если бы она хоть на секунду догадывалась, что каждое утро, едва открыв глаза и машинально положив руку ей на грудь, как он делал это и прежде, — каждое утро память его вдруг коротко и болезненно вспыхивает: он чувствует — да, именно чувствует, и иначе это не назовешь, — то, как Марьяна смотрит на него своими ясными и счастливыми глазами. Потом он опоминается, и все это проходит. Вот этой неосознанной, глубоко увязшей внутри сна одной-единственной секунды, которую ни воля, ни мозг его не в состоянии контролировать, Инга бы ему не *простила*.

Хрусталеву захотелось расхохотаться в голос, когда он вспомнил слова Регины Марковны о том, что Надя не может простить Кривицкого. Бедный Федор! Так влипнуть в пятьдесят лет! Три жены было, баб не считано, и вдруг появляется

Надя с ямочками на щеках, косой толщиной в кулак, и этот самый Федор, которому стоило только пальцем поманить к себе любую, вдруг словно бы уменьшается в размерах. И голос становится тоньше. А был ведь шаляпинский бас! Надо их как-то помирить, а то и фильм с места не сдвинется. Федор Андреич помучается-помучается да и запьет. Вот тогда пиши пропало!

Хрусталев заставил себя полностью отключиться от мыслей о Марьяне и позвонил домой. Подошла Ася:

— Папа, мы тебя заждались. Мама утку с яблоками сделала.

— Я сейчас приеду, — ответил он спокойно и услышал, как она радостно вздохнула. — Дай мне маму на минутку.

— Ты где? — настороженно спросила Инга.

— Я забыл тебе сказать: Петька из Одессы послезавтра приедет. У него командировка. Остановится, к счастью, в гостинице, но отметить все-таки нужно.

— Опять, значит, будет всем бабам в декольте заглядывать! — засмеялась она.

— Не без этого. Так я заеду на рынок? Что купить?

— Лучше всего, если ты щи свои знаменитые сваришь. Или тебе возиться неохота?

— Мне очень охота. Куплю тогда кусок говядины, кусок свинины, все овощи. Что еще?

— А грибы?

— Да, и грибы, разумеется. Питье у нас есть?

— Питья у нас хватит. Да он все равно всегда с собой привозит! И фрукты, я думаю, тоже. На сладкое я «Наполеон» испеку. Кого зовем?

— Главное, Кривицких. Их помирить нужно. Там шекспировские страсти пошли. Надежда уперлась: «Не прощу, и все!»

— Простит. Куда денется?

— Простить-то простит, но ведь Федор запьет. А это, ты знаешь сама... Катастрофа.

— Тогда уж всю группу зови. И Люську, и Будника.

— Будника тоже?

— А как же без Будника?

— Ну а художника?

Она помолчала:

— Его одного. Без сестры.

Он скрипнул зубами:

— Представь себе: я о сестре и не вспомнил!

— Какой ты забывчивый!

— Я? Не всегда.

— Ну, это я знаю. А Сомова хочешь?

— Придет с двумя женами, с кучей детей...

Она рассмеялась своим низким смехом:

— Да, он молодец, ничего не скрывает! Тогда позовем, но поставим условие. Прийти одному. Без детей и без жен.

— Ну, все. Я на рынок. Пока.

В трубке раздались гудки. Почему она не говорит так, как всегда говорила Марьяна: «Целую тебя, мой любимый»? Боится унизиться? А эта девочка не боялась! И никакого унижения не чувствовала. А каково ей было сегодня? Купила коньяк с шоколадками и пошла признаваться в своей беременности. А он ее, в сущности, выставил. Грубо и просто. Да, все это так, но ведь нельзя забывать, что она спит с Мячиным! Это меняет дело. Так что они квиты. Он вернулся к жене и ребенку, она спит с Мячиным. И хватит об этом! Да, хватит! Он выскочил на лестницу, громко хлопнув дверью. Аська права: зачем платить за эту квартиру, если он собирается жить на Шаболовке? Дождусь конца месяца и позвоню хозяйке: пусть ищет нового жильца. И тут же что-то екнуло внутри: а может быть, рано? Кто знает, как сложится? Что будет дальше?

Глава 14

«Что будет дальше? — проснувшись утром, подумал художник по костюмам Александр Пичугин. — Нельзя допустить, чтобы она... Да, этого нельзя допустить».

Он испугался того, что может сделать его юная сестра, которая, как он понял из услышанного вчера разговора, ждет ребенка. От кого? То, что она живет с Мячиным, могло быть лишь проявлением крайнего отчаяния. Он-то знал Марьяну! Несмотря на свою внешнюю хрупкость, она была человеком цельным, глубоким и страстным. Могла привязаться к кому угодно: больной дворовой собаке, которую привела домой и выходила, и собака осталась у них, а потом, когда ее через пару лет переехал автобус, Марьяна перестала есть и похудела так, что угодила в больницу, могла привязаться к подружке, которая ее же и предала потом, но Марьяна из сострадания и гордости никому не сказала об этом, а уж к мужчине, да еще к своему первому мужчине, она должна была не только привязаться, она должна была полюбить его так сильно, что ничего, кроме несчастья, не могла принести такая любовь. И кажется, не принесла. А Мячин? Откуда он взялся? Тоже, может быть, от сострадания и гордости? Ведь она же два месяца назад не знала, как от него отвязаться!

Пичугину больше всего хотелось подойти к сестре и приказать ей так, как он приказывал в детстве:

— А ну, выкладывай!

Но Марьяна ничего не скажет. Он вышел на кухню. Сестра жарила оладьи, бабушки рядом не было.

— Я надеюсь, ты не сделаешь аборт? — Он выдавил из себя эти слова и весь покраснел.

— Не сделаю, — твердо ответила она.

— Я у тебя ничего не спрашиваю...

— А я все равно ничего не скажу.

— И глупо! — сказал он. — Нельзя все скрывать!

— А я вся в тебя. — Она усмехнулась.

Пичугин весь вспыхнул.

— А я здесь при чем?

— *Здесь* ты ни при чем. Я в общем и целом сказала.

Они помолчали.

— Сегодня на Кузнецком показ осенних моделей. Там есть, между прочим, одно пальтишко... Ничего особенного, между нами говоря, но показывать будет Лиля Баскакова, Клеопатра наша. Хочешь пойти?

Она вдруг звонко рассмеялась и поцеловала брата в щеку.

— Кто автор модели? Пичугин А. В.?

— Ну, я собирался признаться. Все некогда было.

— Я так счастлива! Наконец-то!

Глаза у нее сияли, прежняя грустная сосредоточенность в глубине их растаяла.

— Пойдешь?

— Нет, сегодня не вырваться. Мне надо идти в поликлиннику.

— Марьяна, ты мне обещаешь? Без глупостей?

— Да, я обещаю. Не думай об этом.

Пичугин глубоко вздохнул, подцепил на вилку самый тощий оладушек, вареньем мазнул, по выражению бабушки, «как украл», выпил стакан кефира и пошел к себе «наряжаться». Марьяна и Зоя Владимировна спокойно позавтракали, тихо поговорили о чем-то незначительном, и Зоя Владимировна крикнула внуку, что тоже придет в Дом моделей, но только попозже. Через полчаса перед их изумленными глазами предстал Онегин нашего времени: на Александре Пичугине был светло-голубой, с жемчужным отливом пиджак, темно-синяя, почти черная рубашка с узким стоячим воротничком, белые брюки, точная копия тех, которые носил герой в знаменитом фильме «Римские каникулы», и простые, как показалось им, серые тапочки, которые при ближайшем рассмотрении оказались вовсе не тапочками, а самыми что ни на есть модными летними ботинками.

— Ну, Санча! — воскликнула бабушка. — Теперь-то уж точно все девушки наши!

— Зачем они мне! — легкомысленно махнул рукой Санча, чмокнул в щеку бабушку, погрозил пальцом сестре и отправился в Дом моделей завоевывать мир.

У входа его ждали приглашенные им заранее Руслан, Надя Кривицкая и Люся Полынина, влюбленно и затравленно блеснувшая на него неподкрашенными глазами. Надя казалась слегка возбужденной своей внезапной самостоятельностью, освобожденностью от развратного, поделом наказанного мужа, и вела себя так, словно с этой минуты ей море по колено. Руслан был, как всегда, красив крестьянской есенинской красотой и, как всегда, примитивно одет: в футболке и кепке. Футболка была ярко-белой, а кепка немного засаленной. Когда Пичугин приблизился и они получили возможность рассмотреть его как следует, все трое тихонько присвистнули.

— Ты как будто из Австралии! — воскликнула ни разу не побывавшая на этой отдаленной земле Надежда Кривицкая.

— Пойдемте, пойдемте, а то опоздаем! — смущенно ответил Пичугин.

Показ осенних коллекций должен был вот-вот начаться. Демонстрировались модели женской одежды Татьяны Осьмеркиной и трех Елен сразу: Ивановой, Стерлиговой и Телегиной. Мужская одежда была представлена работами Александра Игманда.

Пичугин усадил своих гостей в первый ряд, а сам побежал за кулисы. За кулисами его тут же обступили самые блестящие красавицы. Несмотря на все старания партии и правительства обратить женское внимание исключительно на заботы о семье и производстве, никакими силами нельзя было вырвать из груди советской женщины желание нравиться мужчинам и вызывать зависть у своих коллег по работе и соседей по коммунальной квартире. Манекенщицы, которые, похожие на экзотические цветы, появлялись на подиуме, блистая ярко-красными улыбками, никакой зависти у женщин, собравшихся в зале, не вызывали. Они были небожительницами, богинями, ими можно было только восхищаться. Поэтому сидящие в зале работницы заводов и фабрик, медсестры с ногтями, пропахшими йодом, служащие трамвайных депо, домохозяйки, жены офицеров и разведенные жены, не утратившие своего задора и жажды встретить наконец любимого и единственного, восхищались ими и бурно хлопали в ладоши. Мужчины, разбавляющие своими бледными лицами восторженную и розовую от радости женскую толпу, были чаще всего из числа тех, которые оказались откровенно несчастны в своей семейной жизни, а также и тех, которые наивно надеялись, что именно здесь, в этом зале, среди аромата духов и помады, их ждет драгоценная, нежная, чуткая, за один поцелуй которой, не говоря уже обо всем остальном, можно отдать все на свете.

Пичугин быстро втесался в стайку манекенщиц, и на него со всех сторон посыпались радостные приветствия. Знаменитая Лиля Баскакова, которую, несмотря на ее ярко-голубые глаза, не называли иначе как Клеопатрой, повисла у него на шее:

— Санечка! Ты знаешь, что мне твое пальто отдали показывать? Я просто сама не своя!

— Ну, ты меня не подведи!

— Когда я тебя подводила?

Здесь он был своим, его привечали и любили. И ему было хорошо с этими длинноногими, кукольно-красивыми девушками. В отличие от тех, которые сидели в зале и хлопали в ладоши, принимая за чистую монету их улыбки и взмахи их длинных ресниц, он знал, через что им пришлось пройти. Знал, что попасть на этот подиум было все равно что выиграть машину «Победа» по лотерейному билету, знал, что каждый выезд за границу вызывает жестокую кровавую конкуренцию внутри этой лебединой стайки и не обходится без страшных скандалов, доносов и грязи, знал, что за границей они едят кошачьи консервы и пьют воду из-под крана, чтобы не тратить на еду те гроши, с которыми родина выпускает своих красавиц за железный занавес. Он многое знал. Но нигде: ни дома, ни на работе, ни в компании друзей, ни на «Мосфильме» ему не дышалось так глубоко, так не перехватывало дыхание, как здесь. А при виде внезапных находок модельеров, которые могли вдруг соединить вот эту маленькую норковую шапочку, глубоко надвинутую на лоб Регины Збарской, тело которой считалось «объектом государственного значения», с темно-синими разводами на ее шарфе, — при виде такой вот находки он мог даже всхлипнуть от радости.

— Девочки! Можно я вам своих друзей с «Мосфильма» сюда приведу в перерыве?

Манекенщицы приветливо закивали лакированными прическами. В перерыве Санча привел сжавшуюся и бледную Люсю Полынину, веселую, красную Надю Кривицкую и Руслана, победителя сердец с пшеничными волосами. Лилиана Баскакова стрельнула в Руслана большими зрачками, и тот весь зарделся.

— А мужскую одежду у вас тут показывают? — поинтересовался Руслан.

— Еще бы! Конечно! Хотите, я вас познакомлю с художником? — задорно воскликнула Лиля Баскакова.

— На что я ему? — застеснялся Руслан. — Какой-то актер, начинающий только...

— А Санча о вас тут такое напел! Что вы просто будущий Грегори Пек!

— Ну, Грегори Пек — буржуазный, прогнивший... А я с Красной Пресни, я парень простой...

— Простой — это лучше, — решила Баскакова. — Пойдемте, пойдемте!

И продела свою белоснежную худую руку под его мощный локоть. Пичугин с какой-то тоской посмотрел, как уволакивают в темноту будущего Грегори Пека, и тихо сказал вслед Баскаковой:

— Тебе ведь на подиум скоро, Лиляша...

Люся Полынина рассматривала манекенщиц с таким видом, как будто ее привели в зоопарк и разрешили дотронуться до каждого зверя, уверив, что он не кусается.

— Надька, смотри, бальное платье какое! Аж сиськи видны...

— Это платье, — живо откликнулась не менее знаменитая, чем Баскакова, Валентина Яшина, — я собираюсь демонстрировать в Милане. Там будет показ бальных платьев. И нужно показывать много всего. Особенно тел.

— В Милане?! — присвистнула Люся Полынина.

Через пять минут вернулись Баскакова с Русланом и следом за ними человек приятной внешности, с аккуратно подстриженными усами, про которого Санча успел шепнуть Наде Кривицкой:

— Это Александр Игманд! Он шьет для членов ЦК!

— Саша, — мягко сказал Александр Игманд. — Одолжи мне своего молодого артиста на полчаса. Мой «манекен» расчихался ужасно. Наверное, простыл. А показать нужно всего пару костюмчиков.

— Руслан, ты согласен? — Пичугин тревожно взглянул на Руслана.

— А то! — отозвался Руслан. — Я всегда!

Через двадцать минут он уже щеголял по подиуму в элегантном светлом костюме и, если бы не его есенинское лицо, вполне мог бы сойти за Грегори Пека.

— Актер, одним словом! — вздохнув, сказал Игманд.

Надя Кривицкая вернулась к себе на дачу в восемь часов вечера. В голове ее был какой-то счастливый и пестрый сумбур, слегка напоминающий осенний листопад до начала дождей и холодов. В электричке она, закрыв глаза, видела себя в том самом бальном платье, которое собиралась демонстрировать в Милане Валентина Яшина. И платье ей шло! И все итальянцы, собравшиеся в каком-то освещенном огнями, немыслимо огромном дворце, рукоплескали ей, знаменитой на весь мир Надежде Кривицкой.

«Похудеть бы еще немножко! — томно подумала она. — И пусть Федя лопнет от ревности!»

На даче все спали: Маша в своей кроватке, мама, вчера прибывшая из Тамбова, домработница, умаявшаяся за день от засолки грибов, и две рыжие кошки. Не спал, правда, Федор Андреич. Надя равнодушно заглянула к нему в комнату и увидела, что муж сидит на диване, сжимая в руках непочатую бутылку водки. Она так и ахнула.

— Федя, ты ел? Обедали вы?

Федор Андреич бегло взглянул на нее и не ответил.

— Зачем тебе, Федя, бутылка?

— Затем! — ответил он грозно и вытащил пробку. — Затем, что я, Надя, живой человек! А ты надо мной издеваешься, Надя!

Налитые кровью глаза известного на всю страну режиссера Кривицкого, народного артиста и лауреата Сталинской премии, посмотрели на нее с яростью.

— Терпел-терпел! Хватит! Устал!

И он, рыча и всхлипывая, припал к бутылке. Но легче горной козочки, легче пушинки подлетела к нему располневшая после родов жена и с криком: «Не смей!» вырвала из его рук проклятую отраву.

Потом оба плакали, крепко обнявшись.

Глава 15

Асе Хрусталевой было тринадцать лет. Родители ее развелись еще до того, как она пошла в первый класс, и Ася привыкла к тому, что большую часть времени она проводит с мамой, а папа забирает ее к себе раз в две-три недели, и тогда наступает праздник. С мамой было всегда как-то тревожно, и Асе постепенно стало казаться, что маме она немного мешает. И хотя она изо всех сил хотела быть полезной: готовила маме обеды, завтраки, а иногда даже стирала мамины лифчики и трусы в их большой, сильно облупленной коммунальной ванной, мама часто раздражалась и смотрела на нее так, как будто именно она, Ася, виновата в том, что мамина жизнь все не складывается. Иногда, правда, наступали другие времена: мама вдруг словно бы опоминалась — она начинала проверять Асины уроки, сама, не дожидаясь вызова, шла в школу, чтобы поговорить с учителями, выстаивала многочасовую очередь в магазин «Машенька», где покупала Асе сразу два, а то и три платья. При этом она сама готовила обед и стирала свое и Асино белье в той же самой облупленной коммунальной ванне. Ася никогда не знала, в каком настроении мама проснется утром и какое выражение будет в ее глазах, когда она вечером вернется с «Мосфильма». Папа был совсем другим человеком. Когда она переезжала к папе, он брал ее с собой на студию, очень вкусно кормил в «стекляшке» или в «Шашлычной», два раза даже взял пообедать в Дом журналистов, хотя никогда никаким журналистом не был и прошел туда, показав усатому старику у входа свой мосфильмовский пропуск. И он с ней шутил. Иногда от его шуточек и рассказов она смеялась просто до колик. Вечерами он таскал ее на просмотры в Дом кино, где все женщины были так разодеты, что просто рябило в глазах. Она, гордая, сидела рядом с папой, и многие узнавали ее и восхищались тем, как она выросла. Самым большим горем в ее жизни было то, что родители не любили друг друга. Она готова была отдать все на свете, готова была даже к тому, чтобы каждый из них разлюбил ее, Асю, но только бы они опять стали мужем и женой, только бы жили вместе! Она не могла обьяснить, отчего ей так важно, чтобы они жили вместе и любили друг друга, но душа ее болела, ныла, а необходимость молчать и скрывать свои переживания приводила к тому, что она стала побаиваться любых откровенных разговоров и с мамой, и с папой: не дай бог, вдруг что-нибудь вырвется! Она не знала, что произошло на съемках в деревне, но, наверное, произошло что-то невероятное, чудо какое-то, потому что вскоре после съемок папа переехал на Шаболовку в их большую коммунальную квартиру, где обе соседки насторожились и встретили его с поджатыми губами, перевез к ним свои вещи и согласился с Асей в том, что не стоит платить деньги за жилье, которое он снимал все эти семь или даже восемь лет, потому что он больше не собирается туда возвращаться. Теперь ее родители, кажется, снова привязались друг к другу, они спали на одной кровати, обсуждали покупку стиральной машины и поездку в Коктебель и вместе кричали на Асю, которая совершенно забросила английский язык, хотя в прошлом году ей держали учительницу для того, чтобы она, как говорила мама, «владела этим языком в совершенстве».

Ах, пусть, пусть кричат! Но пусть кричат — вместе. Она иногда ловила тревожный и подозрительный блеск в маминых глазах, внезапную пустоту и особую прозрачность в светлых глазах папы, особенно по утрам, когда мама, еще ненакрашенная и непричесанная, выходила к завтраку, который им давным-давно приготовила Ася, и сразу пугалась до того, что у нее холодели руки. Тогда она начинала быстро-быстро что-нибудь рассказывать или задавать смешные вопросы — она специально придумывала эти смешные вопросы, — лишь бы ушла прозрачная пустота из папиных глаз и настороженная тревога из маминых.

Вчера она решилась на последнее: она показала папе СВОЙ дом. Она не сделала бы этого никогда, если бы не желание намертво привязать папу к себе и, разумеется, к маме. Она открыла ему такую тайну, равной которой нет и не будет на свете. И кажется, он оценил это. Во всяком случае, когда он вечером вернулся с рынка, нагруженный свининой и картошкой, и взгляд его стал ускользать, а потом и вовсе закатился куда-то внутрь, в себя, как за горизонт закатывается солнце, Ася спросила:

— У тебя есть минутка?

И он с торопливой готовностью отозвался:

— Конечно!

Тогда она, как взрослая, взяла его под руку, они пересекли двор, в котором ее знал каждый голубь, сели в машину, и она обьяснила, где находится ЭТО место. В сущности, до него можно было добраться и на трамвае, и даже — при желании — пешком, но Асе хотелось подъехать туда именно на машине, чтобы папа с его фотографической памятью навсегда запомнил, где ее ДОМ. Сначала был небольшой, заросший лопухами пустырь, где болтался обрывок волейбольной сетки, потом очень темный, но мелкий овраг, потом очень плотные, напоминающие африканские джунгли, заросли густого, колючего кустарника, сквозь которые она провела папу известной только ей одной извилистой и незаметной тропинкой. В самом конце, перед тем как заросли кустарника становились свалкой всякой ржавчины, было углубление в земле, которое она сверху предусмотрительно завалила сучьями и ветками, так что ни один человек на земле в жизни не догадался бы, что там, под этим прикрытием.

Она раздвинула ветки, и они с папой спрыгнули в глубину этой небольшой, но очень уютной пещеры, над которой она возилась целое лето и в которую вложила всю свою душу. Пещера была прекрасна. Если бы Асе вот прямо сейчас, не мешкая, предложили поменять ее на какой-нибудь там Бахчисарайский дворец с фонтаном, она презрительно отказалась бы. В ее ДОМЕ почти всегда было темно, но, привыкнув к темноте, глаз постепенно начинал различать нагромождение причудливых коряг, которые с успехом заменяли мебель. Каждая из них была живой и многое говорила Асиному сердцу. Вот эта, например, в самой глубине, была похожа на львенка, скрестившего свои мощные, но еще детские золотистые лапы и положившего на них морду. А эта — на странника, который прилег отдохнуть у дороги и накрылся дырявым капюшоном своего плаща, а эта — на двух оленят, сросшихся туловищами, но повернувших в разные стороны свои увенчанные маленькими ветвистыми рогами головы.

Под куском брезента Ася хранила все, что должно было помочь ей выжить первое время: спички, карманный электрический фонарик, сухари, соль, запас питьевой воды во фляге, подаренной дедом.

Они с папой сели вдвоем в очень удобное, образованное двумя корягами кресло с ручками на левой стороне, и Ася спросила:

— Ну как? Что скажешь?

Папа ответил уважительно и даже, как показалось ей, с недоумением:

— Шикарное место! Я не ожидал.

Итак, он, единственный на всем белом свете, знал ее тайну, но в нем она не сомневалась: папа, на взгляд Аси, не имел никаких недостатков, кроме одного: он недостаточно дорожил ее красавицей мамой, у которой так долго не складывалась жизнь. Теперь он вернулся на Шаболовскую, понял свои ошибки, и завтра, как сказала ей мама, они устраивают вечеринку в честь приезда из Одессы папиного закадычного друга дяди Пети, режиссера с Одесской киностудии. Ася знала, что и от нее многое зависит в том, как пройдет эта вечеринка. Почему это зависит и от нее тоже, она не могла обьяснить.

В семь часов все приглашенные уже сидели за столом, ели крошечные бутербродики, сделанные мамой: черный хлеб с килькой, желтком, каплей майонеза и веточкой петрушки, пили водку и коньяк, с нетерпением принюхиваясь к головокружительным запахам, плывущим из кухни. Вся квартира, да и не только одна их квартира, но и та, которая была напротив через лестничную клетку, и та, которая над ними, и та, которая под ними, истекали слюной от запаха папиных щей, которые он готовил по старинному русскому рецепту и уверял, что именно так варили щи при дворе Петра Первого. Кроме мамы, папы, Аси и соседки Валентины, которая даже и не в их квартире жила, а на седьмом этаже, но напросилась нахально, узнав, что в гости ждут самого Геннадия Будника, и сказала маме: «Я, Ингочка, только автограф...», на что мама, слегка приподняв свои длинные брови, сказала ей вежливо: «Да оставайся!» Итак, кроме них, за столом сидел с каким-то отрешенным лицом Егор Мячин, давнишний

Асин знакомый, супруги Кривицкие, держащиеся под скатертью крепко за руки, словно они Ромео и Джульетта, Регина Марковна в немыслимом лиловом, с черными полосами поперк платье, Люся Полынина в своей неизменной клетчатой ковбоечке, с оттопыренными ушами, бледная и такая несчастная, что Асе вдруг стало жалко ее, Геннадий Будник, готовый шутить и острить до тех пор, пока самому не наскучит, Аркадий Сомов, тоже очень забавный человек, всегда, как говорила мама, «голодный, как собака с волчьим аппетитом». Последним пришел художник по костюмам Пичугин и привел с собой молодого артиста Руслана, который завороженно смотрел ему в рот, но одет был как-то странно: поверх обыкновенной белой футболки на крепкую шею Руслана был намотан темно-розовый шарф с черными пятнами, похожими на кляксы.

Папа внес наконец огромную супницу, которая дымилась даже сквозь крышку.

— Ну, сколько же ждать его, черта лохматого! — сказал грубо папа. — Уж я бы на Северный полюс доехал!

— А девушки-попутчицы? — добродушно засмеялся Кривицкий, притиснув свое колено к колену жены так плотно, что она залилась малиновой краской, хотя дело происходило под скатертью. — Ты Петьку забыл? Небось уж какую по счету «подвозит»!

Раздался нетерпеливый звонок в дверь, папа бросился открывать, и на пороге с огромной корзиной фруктов и целой связкой бутылок, радостный, загорелый, высокий, с глазами такими яркими, словно в них только что развели синьку для белья, вырос дядя Петя, которого Ася не видела года четыре и успела слегка забыть, но тут же немедленно вспомнила. Начали знакомиться, хлопать друг друга по плечам, звонко целоваться, суетиться, двигать стульями, искать дяде Пете салфетку и вилку, и только через пять, а то и больше, минут уселись за стол, и мама, грациозно выгнув худощавую руку, принялась разливать щи по тарелкам. Щи были просто божественными. Первой это произнесла Регина Марковна, которая, едва дотронувшись до огненно-горячей ложки малиновыми губами, закатила зрачки и стала стонать:

— Да! Это божественно! Витя! Божественно!

Слово моментально влипло в сознание остальных, как оса, влетевшая с размаху в вазочку с густым вареньем, и начало барахтаться в жадных ртах гостей, не в силах даже выговориться до конца.

— Божжжеств... Божж... Это ж надо! А где ты грибы-то нашел? Ведь божжжеств... енна... Блин! Я такого не ел...

Тут же пошли тосты. Пили за великого повара Виктора Хрусталева и его верную помощницу в этом искусстве Ингу, пили за режиссера Федора Кривицкого, стойкого поборника трезвости и хранителя домашнего очага, пили за неутомимую Регину Марковну, взвалившую на плечи лошадиную долю забот по фильму и все-таки находящую время следить за собой, одеваться не хуже чем в этом чертовом, всем поперек горла вставшем Голливуде, пили за талантливую Люсю Полынину, которая *так* сняла бюст загаженного птицами Ленина на закате, что Ленин глядит как живой и бессмертный, пили за Аркашу Сомова и всех его детей ото всех браков, за художника Пичугина, давно опередившего Ив Сен-Лорана, и, наконец, выпили даже за самую умную на свете семиклассницу Асю, которая вскоре будет знать английский язык лучше, чем его знает сама английская королева.

Вечеринка разгоралась подобно пионерскому костру, в который то и дело подбрасывают сухой хворост и подливают бензина. Когда веселье достигло той высоты, которую достигают искры от этого костра, гаснущие высоко в поднебесье, дядя Петя с кудрявым чубом, упавшим на его высокий, блестящий от пота загорелый лоб, взял папину гитару и начал петь старинные русские романсы.

У Регины Марковны покатились слезы, а мама закусила губу, как делала всегда, когда начинала волноваться. Когда дядя Петя пропел: «Нет, не тебя так пылко я люблю-ю-ю...», Ася заметила, что мама быстро посмотрела на папу, и папа отвел глаза. В двенадцать ее отправили спать в маленькую комнату, а веселье продолжилось.

Приехавший издалека режиссер Петр заметил, что Надя Кривицкая, слегка захмелевшая, с любопытством смотрит на то, как он перебирает струны гитары, и спросил у нее низким басом:

— А вы, дорогая, поете? Играете?

— Куда мне! — И Надя смущенно потупилась. — Я врач-венеролог. Пока не работаю. Недавно совсем родила... У нас девочка...

Петр решил не углубляться в специфику медицинского образования этой ладной, с высокой прической и пухлыми, вкусными губами молодой женщины, которая при каждой, даже самой маленькой улыбке показывала такие чудесные ямочки, что ее сразу хотелось расцеловать. Вместо этого он взял ее руку своей раскаленной рукой и тихо спросил:

— Хотите, я вас научу? На гитаре?

— Ах, очень хочу!

— Ну, пойдемте на лестницу! А то очень шумно...

173

Они вышли на прокуренную лестничную площадку и уселись на широкий подоконник.

— Гитара, скажу вам, она ведь как женщина. С ней нужно быть нежным и страстным. Ее нужно очень любить. Ну, как женщину... А то ничего никогда не получится...

— Да что вы! — воскликнула Надя Кривицкая. — А я думала: слух нужен, голос красивый...

— Э, бросьте! Вот вы ведь любите вашего мужа?

— Конечно, люблю.

— А за что? Разберитесь. Ведь Федор Андреич не очень красив? Он полный, обрюзгший, глаза небольшие. А вы его любите. В чем тут секрет?

— Не знаю. — Она опустила ресницы.

— А я вам скажу. Вы к нему приближаетесь, и в вас *отзывается,* верно? Внутри. И это любовь. Точно так же с гитарой. Вот дайте мне руку...

Он взял ее руку, но продолжить музыкального образования Нади Кривицкой не успел: разъяренный, с остановившимся взглядом и съехавшим набок галстуком в дверях хрусталевской квартиры стоял народный артист Советского Союза, лауреат Сталинской премии Федор Андреич, и гневная пена, вскипевшая в углу его рта, напомнила приезжему одесситу гребень черноморской волны.

— Надежда! Бери свою сумку, поехали!

— Но, Феденька, мы только начали с Петей... — сказала Надежда весьма опрометчиво.

— Ах, вы только начали?! — взревел Кривицкий. — Ну, знаешь! А я уже кончил! Пошли!

Обиженная и недоумевающая Надежда подчинилась, и супруги, глядя в разные стороны, вошли в освещенную кабинку лифта, и он поплыл вниз. После их ухода гости еще съели по куску торта «Наполеон», и веселье как-то само собой начало затихать, тем более что главного весельчака Геннадия Будника уже не было за столом: предприимчивая соседка Валентина увела его к себе показать альбом с видами Кавказа. Валентина очень увлекалась фотографией. После ухода гостей Хрусталевы сгребли всю грязную посуду в таз и потащили его на кухню. Инга принялась мыть тарелки и рюмки, а Хрусталев вытирал их белым кухонным полотенцем с вышитым в углу петухом: Инге, которая в прошлом году ездила в Киев (снимали рекламу украинской кухни), подарили поклонницы. Разговор их был простым и односложным:

— Ну что?

— Да нормально. Все сыты, по-моему.

— Ты понял, что Надька поссорилась с Федором?

— Еще бы не понял! А что там случилось?

— Она вроде Петечке строила глазки.

— Кто? Надя? Она не умеет их строить!

— Прекрасно умеет. Нормальная баба.

— По-твоему, это — критерий нормальности?

— Кому из мужчин нужен синий чулок?

— Да, выбор у нас невелик. Не нравится синий чулок, бери шлюху.

— Она же не шлюха!

— Я тоже так думал.

— Ну, Федя там сам разберется! С его мощным опытом — проще простого.

— Он любит ее. Ты что, не понимаешь? Ему, может, больно сейчас. Или страшно. Вся жизнь может рухнуть!

— Не рухнет, увидишь. У нас же не рухнула?

— Вроде не рухнула.

— Так «вроде не рухнула» или «не рухнула»?

Он, не отвечая, смотрел на нее и одновременно медленно стягивал с плеча полотенце.

— Пойду покурю.

— Что с тобой?

— Ничего.

Она закусила губу:

— Ну, иди.

«Почему она никогда не скажет так, как сказала бы Марьяна? — сверкнуло у него в голове. — Марьяна спросила бы: «Ты ведь не сердишься? Я очень люблю тебя. Ну, не сердись!»

И тут же вспомнил, что все это в прошлом. Она ведь с Егором. Тогда почему же все-таки у Мячина такое лицо, словно несчастнее его никого нет? И почему он собирался удрать к матери в Брянск? Неужели только из-за того, что первый монтаж фильма вызвал у него такое отвращение? Все, хватит! Не думать об этом.

Оставшись одна, Инга подошла к окну, настежь распахнула его и перегнулась через подоконник. Через секунду у нее закружилась голова, и она поспешно отступила обратно к плите. Сейчас он вернется, они лягут спать. И дочка их спит. Все будет как было.

Глава 16

Цанину опять позвонили сверху и напомнили, что он все еще не выполнил задания. Зажав рукой правый бок, который немедленно заныл от начальственного голоса, Цанин принялся обьяснять учиненный над следствием трюк с адвокатом.

— Ищите другие пути, — сказали ему.

— Но я через сына стараюсь...

— А *не* через сына мы сами бы справились.

В трубке раздались гудки. Цанин принял две таблетки дорогого венгерского лекарства но-шпы, которое не слишком ему помогло, но боль все-таки немного отпустила, и начал сосредоточенно думать. Шуточное ли задание: помочь *им* свалить отца Хрусталева! Раньше бы просто арестовали, и все! А сейчас нельзя. К тому же, наверное, это решение какой-то одной группы *товарищей*, а другая группа *товарищей*, может быть, и не согласна. Поэтому первая группа *товарищей* подстраховывается с помощью следователя Цанина, а следователю Цанину нужно найти такой компромат на семью Хрусталевых, чтобы все в этой семье затрещало. У него на руках был козырной туз: гибель несчастного алкаша-сценариста. То, что младший Хрусталев был в комнате Паршина за несколько минут до того, как тот выпрыгнул из окна, сомнению не подлежало, а это значило только одно: суд должен был признать младшего Хрусталева виновным в убийстве — пусть даже и не предумышленном — и вынести строгий приговор, десять лет, например, строгого режима, после чего сбросить отца Хрусталева с занимаемой им высокой должности было проще простого. А сбросив, назначить того, кто был нужен этой вот группе *товарищей*. Строго конфиденциально ему сообщили, что тот, кого нужно сбросить, — то есть, лучше сказать, проводить на пенсию, — имеет столь высокую секретность, что ни в коем случае нельзя использовать ни в печати, ни даже во внутренних документах УГРО его фамилию.

— Так что же? Совсем без фамилии?

— Измените одну-две буквы, — холодно ответили ему.

Голова шла кругом! И посоветоваться не с кем! Нет, были ведь другие времена! Еще как были! И никаких букв не нужно было менять. Брали *товарища* за шкирку и к стенке. И мозг на снегу. Вот так только и продержались. Так и войну выстояли. Без еды, без оружия, голые-босые. «Ребята! Вперед!» Бежали вперед. А то ведь свои же и сзади пристрелят. Цанин совсем огорчился и, чувствуя, как все сильнее и сильнее ломит правый бок, попросил эксперта Славу, близкого ему человека, заглянуть, как выдастся минутка. Эксперт Слава был умен и хитер. Нельзя сказать, чтобы Цанин уж так доверял ему, но все-таки больше, чем другим. После обеда зашел Слава. Глаза быстро бегают. Неприятно, когда у человека с такой скоростью бегают глаза.

— Слава, — уклончиво сказал ему Цанин, зажимая рукой правый бок. — А что за биография, кстати, у этого мерзавца Хрусталева? У оператора этого? Где учился, когда в институт поступил?

— Все выясню, — ответил ему Слава и испарился.

Зашел через час.

— Там есть одно пятнышко...

— Ага! И какое?

— Он не воевал, а по возрасту должен был.

— Вот как! И что же он делал?

— Работал в каком-то секретном КБ. Война почти кончилась.

— Слава, ты гений!

— Еще что-нибудь нужно выяснить?

— Нет. И этого хватит, надеюсь. Надеюсь!

Ему хотелось расцеловать эксперта. Ведь в самую точку попал! Ну, держитесь, папаша с сынком! Это вам не игрушки.

Ночью ему не спалось. Бок почему-то не беспокоил: притих лютый зверь, затаился. Следователь на радостях хлебнул коньячку, но не так, чтобы назавтра провалиться в запой, а самую чуточку, для настроения. Жена посапывала рядом. Он скосил на нее хмельной взгляд. Была ведь какая красивая баба! Что ноги, что жопа! А стала какой? Одна кожа да кости. А вот отчего? Он, конечно, не ангел, но деньги приносит, квартиру имеют. И дачка есть возле Подольска. Крыжовник, грибы. Домработницу Нюрку посадишь полоть, она зад свой отклячит, а ляжки сверкают, белей молока. Лежишь на терраске, глядишь, наслаждаешься. Потом ей прикажешь:

— А ну, Нюрка, спой!

Она как начнет деревенское что-нибудь, визгливое, ловкое, так сердце и ухнет:

Как хате-е-ела-а-а мине-е мать
да за первого-о-о отдать!
А он, первый — паренек не-е-еверный,
Ох, не-е-е отдай мине-е-е-е мать!

Ведь как хорошо, а жена недовольна. Все скалится волком. Ей доктор сказал, что «вашему мужу нельзя волноваться», а ей наплевать: хоть он завтра подохни!

— Катюха, — решил он. — А ну, просыпайся! Храпишь тут, как стадо свиней. Разлеглась!

— Чего тебе надо? — спросила Катюха.

— А может, мне ласки супружеской надо? Снимай-ка ночнушку!

— Совсем ты сдурел? Найди постовую себе да ласкайся!

— Они, постовые-то, с кем не лежали! Зачем мне заразу домой приносить? Нет, я вот с женой своей лучше...

— Ох, спать не даешь! Вот прилип-то! — сказала Катюха, снимая ночнушку. — И то сказать, жили спокойно, и нате!

Какая тут радость? Откуда ей взяться? И бок в довершенье всего разболелся! Опять выпил но-шпы. Вот венгры-мерзавцы! Умеют ведь делать.

А мы не умеем. Войну зато выиграли, всех их спасли. С этой мыслью следователь провалился в мутный тяжелый сон и во сне увидел Хрусталева-младшего, который сидел на дереве и наводил свою камеру на его окна.

Глава 17

Мячину пришлось заканчивать съемки без помощи Федора Андреича. Регина Марковна, опустив глаза, сообщила, что у Федора Андреича рецидив хронической когцидинии.

— Ког-ци-чего? — удивился Сомов.

— Когцидинии! — с трудом повторила Регина Марковна. — Воспаление нижнего отдела позвоночника.

— Ну, значит, хвост растет, не иначе! — заметил Хрусталев.

— Хвост — не рога! — радостно воскликнул Сомов. — Его можно в штаны спрятать.

— То-то я смотрю, Аркадий, ты стал себе штаны на два размера больше покупать, — остроумно отреагировала Регина Марковна.

Сомов не нашелся что ответить и сделал постную физиономию. Заканчивали «Девушку и бригадира» своими силами. Мячин перестал есть и спать, похудел так, что все на нем болталось, и постоянно повышал голос на актеров. Кроме, разумеется, Марьяны Пичугиной. С Марьяной он старался глазами не встречаться, но всякий раз, когда она уходила со съемочной площадки, с тоской смотрел ей вслед. Ни для кого уже не было секретом, что Марьяна ждет ребенка: талия ее округлилась так, что платье, в котором героиня фильма Маруся приходит на танцы в колхозный Дом культуры, пришлось расставить в боках. Лицо Марьяны нисколько не подурнело, если не считать крошечных коричневых веснушек, нежно осыпавших ее переносицу. Гримерши Лида и Женя первыми заметили эту характерную пигментацию, и Лида просто-таки осунулась от злости. По общим подсчетам, беременность Марьяны — если она наступила даже сразу же в тот вечер в деревне, когда молодая актриса переехала со своим чемоданчиком к Егору Ильичу, — не могла насчитывать больше месяца, а в таком случае фигура ее не должна была так быстро измениться. Гримерша Лида буквально кипела, видя спокойную и внешне самоуверенную Пичугину, а Женя ее успокаивала:

— Значит, ребенок не от Егора Ильича! Тебе только лучше.

— Что лучше? Когда он не видит, не смотрит? Вчера я к нему прямо грудью прижалась, когда начинали массовку, и что?

— И что?

— Ничего! Он одну ее видит!

— Послушай меня: они больше не спят!

— Откуда ты знаешь?

— Да все это знают! Вот съемки закончатся, ты уж... давай...

— А что мне давать, когда он не берет?

Разговор этот только со стороны мог показаться малоосмысленным, на самом деле все обстояло иначе: Лида давно сказала себе, что Егор Ильич есть мужчина ее жизни и, пока другая какая-нибудь не подхватила его и не женила на себе, как это очень часто происходит на «Мосфильме», нужно приложить все силы, но добиться своего. То, что в отношениях между Марьяной и вторым режиссером наступили какие-то сложности, было понятно, но в чем состояли эти сложности, никто не знал. Пичугину было не так-то просто разгадать, а Мячин вдруг разом освободился от своих мальчишеских повадок, стал резким, начальственным, просто диктатор.

Вчера он, например, собрал всю группу и сообщил, что намерен сдать фильм за неделю. Посмотрев на его лицо и на глаза, налившиеся тихим бешенством, спорить не стали. За неделю так за неделю. Тем более что Пронин тоже почему-то очень торопил. Но там, «наверху», никогда не понятно: то вдруг свистопляска, то все заморожено. Никто, кстати, не знал и того, что происходит на даче Кривицких и в каком состоянии пребывает главный режиссер. Дошли слухи, что ему изменила жена, но их отвергли за полной нелепостью. Надежда Кривицкая была влюблена в Федора Андреича как кошка. Это во-первых, во-вторых, она всего три месяца назад родила ему дочку, и, наконец, произошла эта самая «измена» якобы во время недавней вечеринки у Хрусталевых, а как там кому изменить, если квартира коммунальная, комнат хрусталевских — всего две и в маленькой уже дрыхла тринадцатилетняя Аська?

Слава богу, что никто не видел всей картины жизни на даче Кривицких, поскольку картина была безотрадной: Федор Андреич пил водку с самого утра и до глубокого вечера, ясности рассудка при этом не утрачивал, а речь его стала проста и свободна. Когда робкая Надежда просила его, скажем, позавтракать «сырничком», Федор Андреич делал гримасу омерзения и, очень похоже передразнивая ее, переспрашивал:

— Сырничком? А «этим» не хочешь?

И смачно показывал кукиш. Темой их супружеских бесед стало обсуждение того, что ни одна женщина не достойна ни одного, пусть даже и совсем никудышнего мужчины.

— Есть мать, — говорил Федор Андреич, дрожащими руками наполняя стопку, — а есть, Надя, курва б..! Я думал: ты — мать...

— А я, Федя?

— Курва б..! — с пугающим восторгом, уверенно восклицал он. — Ты, Надя, такая, как все! Я-то думал...

— Но я ж ничего! Просто поговорила...

— Ты поговорила? О чем?

— Ну... О музыке...

— О музыке? — Он запрокидывал голову. — Да если бы, Наденька, я не вошел... Да он бы тебя уже за жопу схватил!

Молодая жена его начинала гулко рыдать, и на этом разговор обрывался. Не подействовало на Федора Андреича даже то, что позвонил сам директор «Мосфильма» Пронин и грозно сказал в телефон, что на следующей неделе в Москву приезжает итальянская киногруппа во главе с самой Софи Лорен и итальянские товарищи намереваются заглянуть к режиссеру Кривицкому на съемки, а еще лучше было бы показать итальянским товарищам уже смонтированный фильм и обсудить, так сказать, перспективы совместной работы. Такой вот есть *план*. Федор Андреич Кривицкий директора «Мосфильма» товарища Пронина выслушал, не проронив ни слова, и опять припал к бутылке.

А дальше события завертелись так, что даже у птиц, всегда очень громко кричавших в деревьях на обширной территории «Мосфильма», появилась удивленная интонация. Теперь они словно кричали друг другу: «Да что вы? Не верю! Не верю!»

— Как это случилось? Когда? Почему?

— А он что сказал? А она что сказала?

Началось с того, что в пятницу вечером на съемочной площадке, где разгорелась ругань между режиссером Мячиным и оператором Хрусталевым, не сумевшими договориться, как лучше снять танец счастливых колхозников с дачниками-горожанами, — именно в этот, самый что ни на есть острый момент появился на съемочной площадке сильно выпивший следователь Цанин с двумя неизвестными. И ругань закончилась как не бывало. Хрусталев очень сильно побледнел и даже вдруг посмотрел на свою жену каким-то детским испуганным взглядом, нисколько ему не свойственным, а Мячин напрягся и, выхватив из кармана очки, надел их, что случалось только в самых исключительных случаях.

— Творите, друзья мои, творите! — фамильярно заговорил Цанин. — А я вот подумал: пойду загляну, проведаю, как там родное искусство. И вижу, что в полном, полнейшем порядке! И так на душе стало мне хорошо... Дай, думаю...

— Мы с коллегами, — ледяным голосом произнес Хрусталев, — целый день очень напряженно работали. Сейчас время позднее, все мы устали. Хочется доснять последнюю сцену и разойтись по домам. Вы нам, мягко говоря, помешали.

— Кому это я помешал? — покрываясь малиновыми пятнами, спросил Цанин.

— Хотя бы вот мне, — пояснил Хрусталев.

Цанин зажал рукой правый бок и, брызгая слюной, взорвался вдруг так, что все оторопели:

— Тебе, сосунку, помешал, а? Тебе? Да я тебя, суку, всего насквозь вижу! Ты думаешь, кто ты? А я знаю кто! Говно ты на палочке! Трус и предатель! Ты думал, за папочку спрятался, а? Другие пошли воевать, а ты спрятался?

Инга Хрусталева подскочила к своему мужу, но было уже поздно: Хрусталев сделал шаг и изо всей силы ударил следователя по лицу:

— Пошел вон отсюда, гундосая сволочь!

Бешеного оператора оттащили Мячин, Руслан и Аркаша Сомов. Хрусталев был вне себя, его трясло.

— Тэ-э-эк... — сплевывая кровь, прошипел следователь. — Я с тобой сейчас разбираться не буду... Слишком много чести. Но ты у меня соловьем запоешь! Ух ты запоешь! Я тебе не завидую!

И, не оглядываясь, пошел прочь. Двое неизвестных поспешили за ним.

— А он ведь нам точно картину зарубит, — сказал вдруг Таридзе.

— Ну, почему ты не мог удержаться! — со смешанным чувством раздражения и страха воскликнула Инга. — Ведь он же был пьян! Что ты лезешь всегда?!

— Что значит: я «лезу»? — переспросил Хрусталев. — Люся, заканчивай без меня!

Объявили перекур. Инга вышла на лестницу, закурила.

— Уехал! Обидчивый больно! — усмехнулся вышедший следом Будник. — Заварил кашу!

— Ты, Гена, о ком? — сдержанно удивилась Инга.

— О муже твоем! Он ведь нам все зарубит!

Инга глубоко затянулась и не ответила.

— Гия! — закричал Будник, увидев, что Таридзе выходит из павильона и направляется к двери. — Гия, погоди! Поговорить нужно!

Через минуту, бледная, обсыпанная веснушками, которые, по мнению Сомова, «только украшали ее», появилась Марьяна.

— Инга, у вас нет лишней сигареты? — спросила она.

— Ну, почему же нет? — задерживая взгляд на груди и талии молодой актрисы, усмехнулась Инга. — Держите.

Марьяна вытащила из протянутой пачки сигарету, чиркнула спичкой и неумело закурила.

— Я бы вам не советовала именно *сейчас* начинать курить, — опять усмехнулась Инга. — Считается, что беременной женщине это не очень полезно.

Марьяна вся вспыхнула, но промолчала.

— Вы все-таки поговорите с Егором Ильичом, — язвительно улыбнулась Инга. — Может быть, он не будет от этого в восторге?

— Я не очень понимаю ваши намеки... — тихо, но со злостью ответила Марьяна. — Какое отношение имеет Егор Ильич к моему курению?

— Ах вот как! — Инга засмеялась стеклянным смехом. — Простите, не знала, что *он* не имеет!

— Какая вы дрянь! — тем же тихим, ненавидящим голосом выдохнула Марьяна. — Какая вы низкая дрянь!

— Я? Я низкая? А вы тогда кто? Забыли, как я вам по морде дала? Или, может быть, вы даже меня и простили за это?

— Я вас не простила, — бледнея еще больше, прошептала Марьяна. — Но я вас *пыталась* простить, понимаете? И я вас *пыталась* понять... Да, понять.

— Попытка — не пытка. Хотя... Вы что-то уж слишком и часто «пытаетесь». Пытаетесь поменять одного любовника на другого, пытаетесь стать актрисой, пытаетесь понять меня... Оставьте ваши попытки!

— А вы не учите меня! — не выдержала Марьяна и закашлялась. — Вы знаете, почему вам не везет?

— А вам везет?

— Да. Потому что меня *любят*.

— Хотя ваша жизнь и доказывает обратное! — засмеялась Инга и раздавила сигарету в полной окурков железной пепельнице. — Ну и ну! Какая, однако же, самоуверенность!

Глава 18

К концу сентября фильм закончили, и Пронин одобрил первый пробный монтаж.

— А что? С огоньком! Итальянцам понравится! Нам с ними, похоже, придется работать. Такие теперь времена... Непонятные.

Итальянцы почему-то задержались в Италии и прилетели тогда, когда фильм был уже закончен. Однако Пронин предупредил Регину Марковну, чтобы во время их визита на студию еще раз разыграли какую-нибудь особенно выигрышную сцену из «Девушки и бригадира».

— Вот эту вот, с танцами. Лучше всего.

— А как же без Федора?

Пронин развел руками, лоб его быстро побагровел.

— Живым или мертвым, но чтобы был тут!

В восемь часов утра служебная мосфильмовская «Победа» подкатила к дому Кривицкого. На террасе Надя с расстроенным лицом и запавшими глазами кормила Машу из бутылочки. День был светлым, солнечным, по-летнему теплым, паутина блестела на еловых лапах.

— Где он? — с порога спросила Регина.

— Где-где? У себя.

Федор Андреич был в кабинете, и по его остекленевшим глазам Регина Марковна поняла, что лауреат Сталинской премии смертельно пьян.

— Так. Быстро вставай, одевайся, машина нас ждет. Уезжаем.

— Куда нам спешить? — философически заметил Кривицкий. — «Мчатся тучи, вьются тучи, невидимкою она...» Нет, я перепутал. Давай я сначала: «Мчатся тучи, вьются тучи, невидимкою луна...» Ты слышишь, Регина? Луна невидимкою!

— Какая луна? — застонала Регина. — На улице утро, тебя ждут на студии!

— Зачем я им нужен? — искренне удивился Федор Андреич.

— Ты всем нужен, Федя! И там тоже нужен!

— А _ей_ я не нужен. Она... «невидимкою»... Короче, она изменила мне с Петькой!

— Да я же была там! — взревела Регина. — Она тебе, Феденька, не изменяла! Она с ним училась играть на гитаре!

— Ну да. Не успела. Я вышел. Пресек. Ведь я-то как думал? «Вокруг все гуляют! Все бабы! И пусть! Зато моя Надя — другая!» А знаешь ли ты анекдот про гулен? Сейчас я тебе расскажу, ты послушай. Собрал Господь Бог у себя в раю всех женщин и говорит им: «Каждая из вас должна сказать мне правду. Вам за это ничего не будет, не бойтесь. Сделайте шаг вперед те, которые изменяли своим мужьям». И все сразу сделали, кроме одной. А Господь Бог нахмурился и говорит: « А эта глухая и тощая, слева, — она уже и вторым ухом не слышит?»

Кривицкий засмеялся.

— Федя! — с отчаянием сказала Регина Марковна. — Я отлично знаю, на что ты намекаешь! Да! Несколько раз я изменила своему мужу с тобой, Феденька! Но это была большая человеческая любовь! Это были, Федя, очень высокие отношения! И я ни разу об этом не пожалела!

Регина Марковна достала из сумочки носовой платок и взволнованно высморкалась. Потом опомнилась: минуты текли незаметно, а они все еще торчали здесь, на даче, в то время как на «Мосфильм» с минуту на минуту должны прибыть итальянцы.

— Костюм у тебя самый лучший — какой? — Она распахнула вместительный шкаф. — Вот этот?

Губы режиссера от обиды сложились сердечком.

— И вовсе не этот. Они тут все лучшие.

В дверь просунулась Надежда:

— Может, сырничков поедите на дорожку?

Кривицкий театрально рухнул на диван:

— И это вся жизнь! Одни только «сырнички, сырнички...» При этом она изменила мне с Петей!

— Надя, — деловито сказала Регина Марковна, — сырничков нам с собой заверни. Я сама сегодня маковой росинки... Вылетела из дома, как очумелая, даже не помню, что на мне надето... Сейчас до машины его доведем, и пусть там поспит. Откачаем!

Через час Федор Андреич уже сидел в гримерке перед зеркалом, и Лида с Женей колдовали над ним, находясь под строгим присмотром Регины Марковны.

— Картошку сырую ему на лицо, — негромко говорила Женя. — И льдом оботри.

— Рубашечку, Федор Андреич, сымайте, — певуче уговаривала Лида. — Рубашечку сымем, штанишки приспустим, расслабимся... Я вам массажик сейчас...

И впилась пухлыми пальчиками с ярко-красными ногтями в обмякшее тело режиссера. Кривицкий закрыл глаза.

— Лимон ему выжали? В чай-то?

— А как же! Чайку вот, с лимончиком, Федор Андреич... Таблеточку... Вот! Ну? Уже полегчало?

Кривицкий безвольно помотал головой. Скупая мужская слеза быстро скатилась по его покрытому сырыми картофельными дольками лицу.

Итальянцы в составе четырех человек приехали после обеда. Любопытные сотрудники «Мосфильма» высыпали из своих павильонов и кабинетов, столпились у лифта, оставили в тарелках недоеденное, а в чашках и стаканах недопитое и теперь приветствовали заграничных товарищей с той простодушной радостью, с которой дореволюционные крестьяне, нарядные и трезвые, приветствовали своего барина, приехавшего из столицы. Самое сильное восхищение — как у мужчин, так и у женщин — вызвала неподражаемая Софи Лорен. Она была в черной, обтягивающей ее высокую грудь и удивительно тонкую талию кофточке и белой, с узкой золотой полоской по подолу юбке. Темно-серые, с поволокой глаза ее заглядывали прямо в душу. В павильоне Кривицкого при ее появлении на секунду повисло молчание, но тут же оно взорвалось аплодисментами. Софи быстро и небрежно захлопала в ответ, ослепляя всех собравшихся яркой, как солнце, улыбкой. Геннадий Будник припал к ее унизанной кольцами руке:

— Sono felice, Sofia![1]

— Ho ancho![2] — ответила Софи Лорен.

Внезапное появление режиссера Кривицкого помешало этим двоим до конца выразить свои чувства. Здоровый, красивый, похрустывающий белоснежной рубашкой, молодой и сильный, как олень, ворвался Кривицкий, раскинул объятья:

— Софи, дорогая моя! — крепко расцеловав итальянскую актрису, воскликнул Кривицкий. — Ну, как добралась?

Растерянная переводчица начала было переводить, но Федор Андреич замахал на нее обеими руками:

— Без вас разберемся! Мы старые приятели! Ну, как дела, Соня? Те amo, ей-богу!

---

[1] Я счастлив, София! (*итал.*).

[2] Я тоже! (*итал.*)

Софи Лорен оглянулась на своих спутников. Те, судя по всему, полностью попали под обаяние Федора Андреича и только смеялись и щурились.

— А как вас тут кормят? — не унимался режиссер. — Ходили в «Арагви»?

Переводчица не утерпела и вопрос про «Арагви» все-таки перевела. Софи засмеялась и подняла кверху большой палец.

— Сейчас вам представлю своих. Ты, Соня, смотри, какие актрисы! Марьяна Пичугина. Ну? Хороша?

Софи Лорен поцеловалась с Марьяной. Кривицкий тут же подвел к ней слегка побледневшую Ингу.

— А это звезда, так сказать, отечественного кинематографа! Инга Хрусталева. Она тоже занята в моем фильме. Где фотограф-то у нас? Куда он подевался?

Подскочил, тряся львиной гривой, фотограф.

— Маркуша, давай сперва женщин! — распорядился Федор Андреич. — Софи в середине!

Три красавицы, лучезарно улыбаясь, обхватили друг друга за талии, прижались щеками. Вокруг все захлопали.

— Теперь меня с Соней! — потребовал Кривицкий.

— Нет, Соню *со мной!* — вмешался Будник. — Софи! Sono Marcello Mastroianni Russo![1]

Вдоволь нафотографировавшись и нацеловавшись, гости попросили разрешения хотя бы полчаса посидеть на съемках.

— Рабочий момент очень им интересен! — фальшиво улыбаясь, сообщила переводчица. — Хотят, чтобы вы опытом поделились.

— Егор! — громовым голосом приказал Федор Андреич. — Давай танцевальную сцену!

Выкатили пруд с лебедями и кувшинками, мостик через ручей, добротный крестьянский дом, похожий на торт, — пряничный, с сахарными окошками, в который злая ведьма из немецкой сказки заманила Ганса и Гретель, — мужская массовка из балета (белые шелковые рубашки с закатанными рукавами, темно-зеленые, под цвет листьев, шаровары!) расположилась слева от пруда, женская (белые блузки, темно-красные юбки, черные чулки!) — справа. На мостик вышли Инга, Марьяна и Будник. Инга протянула руки к правой массовке, Марьяна — к левой, а Будник к обеим, к Марьяне и Инге, и начался танец. Танцевали, перебегая с мостика на берег пруда, рвали белоснежные кувшинки, плескали друг в друга водой и смеялись. Мячину, наблюдающему со стороны,

_____

[1] Я ведь русский Марчелло Мастрояни! (*итал.*)

показалось, что фильм даже, может быть, и недурен. Кривицкий сначала смотрел с недоумением — сцена ставилась без него, — потом расслабился и только для виду бросал иногда отрывистые замечания:

— Геннадий Петрович, не хлопочи лицом!

Или:

— Держи темп, Марьяна!

Но сцена получилась отличной, любой Голливуд позавидует. Софи Лорен сказала, что такой фильм — это гигантский шаг навстречу современным исканиям лучших мировых кинематографистов.

— Кто ищет, найдет! — подмигнул ей Кривицкий.

— А ваши костюмы! — вмешался один из гостей. — Ведь это же просто шедевр! Шедевр! Отличный дизайнер!

— Сашок, подойди! — встрепенулся Федор Андреич. — Художник Пичугин. Любите и жалуйте.

Софи протянула зардевшемуся, как девушка, Санче свою руку:

— Bravissimo! Bravo!

На прощанье принесли холодного шампанского с конфетами «А ну-ка, отними». Софи съела половинку конфеты, а другую половинку аккуратно завернула и спрятала в сумочку. Наконец распрощались. Пронин велел Кривицкому немедленно зайти к нему в кабинет. Кривицкий вернулся с такими красными щеками, как будто директор «Мосфильма» надавал ему пощечин. Но, судя по радостному, торжественному и хитрому выражению лица Федора Андреича, драки не было.

— Такие дела начинаем, товарищи, что слов просто нет! Италия — наша, а может, и Франция!

— И ничего в ней нет такого особенного, — грустно заметила Люся Полынина. — Богатая баба, вся как отлакированная. И юбка что надо, и туфли, и сумка. И кремы другие. Помада другая. Конечно, красивая. Я же не спорю. Но вот у нас во дворе была Нинка, еврейка, я с ней в одном классе училась. Похожа на нее, только еще лучше. Ей если так же глаза накрасить, так точно будет даже лучше. А замуж вышла, трое детей, муж не просыхает... Вся красота закончилась!

— Люся! — вдруг застенчиво спросил Пичугин. — А что ты сама-то все в одних ковбойках ходишь? Ты сама не знаешь, что ты тоже очень красивая. Хочешь, я тебе за ночь платье сошью?

Люся подняла на него глаза, которые вдруг так сильно и неожиданно наполнились счастливыми слезами, что тем, которые заметили это, стало слегка неловко.

— Зайдем в примерочную, я мерки сниму, — наивно предложил он. — Завтра получишь платье.

— Санча, погоди! — Руслан схватил Пичугина за рукав. — Мы же с тобой договорились в «Шашлычной» посидеть, ты мне обещал про основные направления в дизайне рассказать!

— Да мерки снять — десять минут! — отозвался Пичугин. — А дальше я твой на весь вечер!

В примерочной Люся волновалась так, что при каждом прикосновении потертого сантиметра к коже покрывалась холодным потом.

— Ну вот. Все готово. Увидимся завтра, — бодро сказал он и чмокнул ее в пылающую щеку. — Надеюсь, понравится!

И убежал, улетел, понесся к своему Руслану, которому позарез необходимы направления в современном дизайне. Ночью Пичугин не спал, а, разложив на столе в своей маленькой комнате темно-красную ткань, шил платье этой смешной и замечательно искренней Люсе Полыниной, которая так обмирает при каждом его слове и взгляде и так, наверное, ждет его ответного чувства, что хочется чем-то помочь ей, хоть платьем украсить ее незавидную жизнь.

В тот же вечер помирились и супруги Кривицкие. Федор Андреич, вернувшийся домой трезвый как стеклышко, поначалу очень сурово посмотрел на свою молодую жену, застывшую на пороге с Машенькой на руках. Но то ли смягчила его эта трогательная картина, то ли итальянцы так сильно подействовали на отзывчивое и доброе режиссерское сердце, но он подошел, погладил Машеньку по лысой головке и, когда Надежда, всхлипнув, припала к нему, не отодвинулся, а, напротив, прижал их обеих к себе.

Хрусталевы ехали к себе на Шаболовку и обсуждали планы дальнейшей жизни.

— Ты не представляешь себе, как я надеюсь, что мы заработаем на этой картине! — с чувством воскликнула Инга. — Я этого жду просто как манну небесную!

— Ты хочешь машину стиральную? — спросил он.

— Ох, я и сама не знаю! Машину стиральную очень бы хорошо, я себе на этой стирке все руки стерла, но мне так бы хотелось в отпуск поехать! С тобой, вдвоем! Закатились бы куда-нибудь в Крым, подальше, сняли бы что-нибудь на самом берегу, чтобы рядом никого, ни одной актерской или писательской физиономии, купались бы голыми ночью... Чем плохо?

— А Аську куда?

— Аську к маме.

— Но ей ведь полезно на море побыть.

Инга вдруг вспыхнула:

— Она еще, бог даст, побудет! А я с тобой девять лет никуда не отрывалась! Мне, может быть, хочется, чтобы только с тобой, чтобы никого, кроме нас...

Хрусталев искоса посмотрел на нее. Да, очень красивая. Особенно когда волнуется: глаза начинают светиться, и губы дрожат.

— Поедем, поедем, — сказал он негромко. — Как деньги получим, так сразу поедем.

Аськи дома не было, но ужин, аккуратно накрытый салфеткой, стоял на столе, и белела записка: «Я купила два эскимо и положила их в морозильник. Съешьте. Ася»

— Где она болтается так поздно? — Инга нахмурила брови.

— Давай возьмем за правило: когда она уходит куда-нибудь, особенно вечером, она нам не про эскимо пишет, а сообщает, где она и когда вернется, — резко сказал Хрусталев. — Ты должна была с самого начала так поставить: без нашего спросу ни шагу!

— Ну, ладно! Второго рожу, так и сделаем!

Она засмеялась, давая понять, что шутит, а у Хрусталева вдруг так сильно заныло в левой стороне груди, что он открыл настежь окно, закурил и принялся всматриваться в скупо освещенный, уже по-осеннему темный двор. Через сколько месяцев *он* появится на свет? Через шесть? Да, наверное, через шесть или даже чуть меньше. В конце февраля или в самом начале марта.

Егор Мячин не пошел к себе в общежитие, а, пересчитав деньги в кармане, отправился в «Шашлычную». В «Шашлычной», как всегда, пела бывшая хрусталевская любовница. Кажется, ее зовут Дина. Она увидела его и тревожно забегала глазами: привыкла, что раньше он приходил сюда с Хрусталевым. Потом убедилась, что Мячин один, и сразу же потеряла к нему всякий интерес. Глупо даже сравнивать себя с Хрусталевым. Таких, как он, Мячин, пруд пруди, а таких, как Хрусталев, можно по пальцам пересчитать. И женщины это чувствуют. Природа их так устроена, что они беззащитны перед Хрусталевым. Почему же он сразу не понял того, что и Марьяна — не исключение? Почему он воспользовался ее горем и нырнул к ней в постель? Да, но ведь это она сама сказала тогда, в деревне: «Иди ко мне». Мало ли что она сказала! Чего ни скажешь от одиночества! Голова его шла кругом. И фильм, который он придумал и сделал, припишут Кривицкому. Вон его уже в Италию позвали! Хотя, с другой стороны: ну и что? Позвали и позвали. Кривицкий — мастер, он и в Италии не растеряется. Обхватит Софи Лорен за талию, чмок-чмок — она и растаяла. Пойди найди другого такого Кривицкого! А сам-то он, Мячин, разве уж так много умеет? Да ничего подобного. Фильм вытащили хорошие актеры. И Будник хорош, и Руслан со своими небесными глазами и золотым чубчиком, и Хрусталева. Кроме того, конечно, Санча сделал невероятно много. Вот Санча действительно гений. Нет, надо сваливать отсюда, пока не поздно. Во-первых, эта близость к ней, эти ежедневные встречи могут просто с ума свести! А во-вторых, лучше не дожидаться того, что следующий его фильм, снятый самостоятельно, провалится с треском. Лучше заранее спрятаться от такого позора. Напрасно он тогда сдался и вернулся к работе, когда они его силой вытащили из поезда! Нужно было зубами вцепиться в полку, так вцепиться, чтобы его никакой силой не оторвали! А он смалодушничал.

Мячин допил графинчик, доел шашлык и подумал, что лучше сейчас вернуться на студию, сказать дежурному, что ему нужно подготовить утреннюю съемку, и забрать все свои вещи, которые он держал на работе. Чтобы уже завтра ни к чему не возвращаться. На «Мосфильме» почти никого не было. Проходя мимо гримерной, он услышал, что за дверью кто-то плачет и тоненько всхлипывает. Он прислушался. Всхлипывание было знакомым. Гримерша Лида прятала лицо в беленьких пальцах и плакала, не заметив, что он вошел в комнату. По пальчикам стекали потоки черных от туши слез. Он приблизился сзади и, подхватив ее за под мышки, развернул к себе. Она была горячей и мокрой от слез.

— Я нравлюсь тебе? — спросил Мячин.

— А то! — Она подавилась слезами. — Сижу здесь, рыдаю, а он еще спрашивает!

— Тогда, — он посадил ее на стол, заваленный выкройками и образцами тканей — рыдать перестань, — попросил он.

Она послушно замолчала. Он задрал на ней юбку и рывком стащил розовые хлопчатобумажные трусики. Потом быстро и грубо взял ее, даже не глядя ей в лицо. Она обхватила его за шею обеими руками.

— Бежать собрался? А я тебя не отпущу! — прошептала она. — Теперь ты весь мой. А, Егорушка?

— Я люблю другую женщину, — с пьяным вызовом сказал Мячин.

Гримерша Лида быстро натянула розовые хлопчатобумажные трусики, одернула юбку, напудрила носик.

— Поедем ко мне, — попросила она. — Помоешься, ножки попаришь, поспишь...

— Зачем это я стану ножки вдруг парить? — удивился Мячин.

— Чайку с мятой выпьешь, вареничков сделаю... — не обращая на него внимания, продолжала она, и сладкая дурнота накатывала на Мячина, воля его слабела. — А утром проснешься, уже все готово. Поедем, мой милый...

— Ну ладно, поедем, — согласился он. — Только я свое решение уже принял: мне на «Мосфильме» делать нечего! Я никакой не режиссер!

— А сколько на свете профессий хороших? — не удивилась Лида. — Пойдешь инженером, на доктора кончишь. Учителем тоже... Работа не пыльная. А здесь на актрис этих пялиться только... Поедем, родной мой... Поспишь, отдохнешь...

Глава 19

На следующий день было воскресенье. Регина Марковна отмечала день рождения мужа, пришли фронтовые друзья, пели, пили. Потом кто-то спросил, когда они закончат у себя, на «Мосфильме», новый фильм, и она с гордостью сообщила, что фильм уже закончен и вот-вот выйдет на экраны. Выпили за новый фильм. Надя Кривицкая позвонила в самом разгаре веселья и ликующим шепотом сообщила, что «Федя простил».

— Ну и слава богу! — быстро перекрестилась Регина Марковна. — Значит, завтра приедет и будет сдавать фильм руководству.

В Доме моделей на Кузнецком именно по воскресеньям было особенно многолюдно: в два часа начинался расширенный показ мужских и женских коллекций. Возбужденные гражданки с утра занимали очередь, чтобы попасть и сесть на самые лучшие места. Пичугин провел Руслана через боковую дверь, и они, как всегда, прошли сначала за кулисы. На Пичугина тут же набросились длинноногие девушки, что-то начали шептать ему в запылавшее ухо, жестикулировать и сверкать глазами. Руслан скромно стоял в стороночке, ждал, пока друг освободится. Наконец модели разбежались по своим местам, а Пичугин с Русланом вернулись в зал.

— Чего у них там? — поинтересовался Руслан.

— Милан на носу! — отмахнулся Пичугин. — Отбор происходит. Каждой, конечно, хочется, чтобы взяли ее, а не другую... Ну, в общем, ты сам понимаешь...

— А то! Ясен пень! — согласился Руслан. — Конечно, Милан — это дело такое...

После показа зашли в «Прагу», пообедали. Молоденький официант с узкими, как у танцора балета, бедрами обслуживал быстро и с особенным вниманием. Бокалы вытер хрустящим полотенцем и, прищурившись, просмотрел каждый на свет: ни пылиночки.

— Евгеша, — попросил его Пичугин. — Ты
только икру не облизывай, а свежей принеси,
будь другом.

— Ну, Санча, вы скажете! Чтоб я облизывал?
Для вас никогда! Это мы изредка, только когда
клиент совсем уже нетрезвый...

Он испуганно покосился на Руслана, поняв,
что сказал лишнее. Руслан хохотнул.

— И все-то ты знаешь! Везде-то ты свой!

— Работа такая, — грустно усмехнулся Пичугин. — Портной человеку как доктор. Еще даже
ближе.

— А я с самого детства так и резанул отцу: буду
артистом! Чтобы мне весь мир аплодировал! Он
сначала ни в какую. Тогда я пригрозил, что из
дома убегу. Ну, он и сдался.

— Давай за тебя, — улыбнулся Пичугин. —
Чтобы ты стал знаменитым.

Выпили, закусили икоркой.

— Хорошая, свежая! — с набитым ртом сказал
Руслан.

После обеда пошли прогуляться по Гоголевско-
му бульвару, погода была безветренной, теплой.
Сумерки быстро опускались на Москву.

— Какой у нас все ж таки город замечательный! — воскликнул Руслан. — Красивей на всем
свете нет! Это точно!

— Нет, почему? — Пичугин поднял брови. — Есть, например, Венеция, Рим... Париж, в конце концов.

— Ну, это они на картинках красивые! — решительно сказал Руслан. — А посмотреть поближе... Не знаю, не уверен.

— Да, хорошо бы, конечно, поближе посмотреть...

— Я вот на тебя, Санча, вообще удивляюсь, — продолжал Руслан. — Тебе платье самое что ни на есть великолепное сшить — три часа работы, так? Костюм мужской — день. Ты ведь такие деньги можешь заколачивать! «Победу» себе, наверное, сможешь через пару лет купить! А ты какой-то...

— Какой?

— Ну, грустный какой-то! — И Руслан положил другу на плечо свою мощную руку. — Чего ты такой?

Вместо ответа Пичугин вдруг закрыл глаза и с таким выражением на лице, как будто он собирается прыгнуть с парашютом, крепко поцеловал Руслана в губы.

— Ай, ай! Ты чего? — на весь Гоголевский бульвар заорал Руслан. — Ты, гад, чего лезешь?

Он вскочил. Пичугин остался сидеть на лавочке, опустив голову.

— Я понял, — медленно произнес Руслан и тут же задохнулся: — Ты гад, извращенец! Ты — грязная сука! Да как ты посмел! Как ты, сука, посмел?

Он изо всех сил ударил Пичугина по лицу, потом принялся бить его руками и ногами, захлебываясь от ярости.

— Ты — мразь! Ты поганый червяк! — вскрикивал он, пиная сползшего с лавочки и лежащего на земле Пичугина. — Тебе среди людей вообще делать нечего!

Он вытер рукавом губы, не переставая пинать Санчу ногами.

— Теперь не отмоюсь! Вот сука! Вот мразь!

Раздался пронзительный милицейский свист, и тут же, грохоча сапогами, подбежали два милиционера.

— Эй, парень! Ты что? Озверел? — Один из них оттащил Руслана, другой наклонился над неподвижным, сжавшимся в комочек на земле Пичугиным.

— За что ты его?

— Он гад, извращенец! Полез целоваться!

— Ну да?

— Я что, буду вам врать? Вон слюни его аж во рту еще чувствую! Добить его, гада, и весь разговор!

— Добить — хорошо, но нельзя. Не положено. Сейчас отвезем в отделение, решим... Наверное, под суд, а потом за решетку.

И милиционеры с такими лицами, словно они боялись запачкаться, подняли Санчу с земли. Один глаз его не был виден, заплыл, под другим чернел огромный, с подтеками синяк. Левая рука болталась, как неживая.

— Давай-ка в машину! — распорядились милиционеры.

— Хочу показания дать на мерзавца, — суетился Руслан. — Хочу на бумаге, чтоб все по закону!

— С нами поедешь. Протокол составим.

— Товарищ милиционер, — Руслан стал огненно-красным. — Вы в этих делах разбираетесь. У меня вопрос... — Он понизил голос и оглянулся. — Если тебя пидор против твоей воли в губы поцеловал, так это как считается? Я теперь, значит, тоже «опущенный»? Или нет? Как мне теперь отмываться?

— Если бы вы, гражданин, на зоне находились и в такую историю вляпались, то там, конечно, могли и за «опущенного» посчитать, — важно, но с долей брезгливости по отношению к самому этому вопросу ответил милиционер. — А так — ничего. Вы поменьше болтайте.

— Понятно! — Руслан взъерошил свои золотые кудри обеими руками. — А как же тогда протокол? Я, кстати, артист, на «Мосфильме» работаю.

Милиционер расплылся в улыбке.

— То-то я гляжу, мне твое лицо знакомо. Где-то я тебя видел, а где не припомню. Тогда ты, товарищ артист, лишнего не пиши. Так, мол, и так. Могу с уверенностью сообщить, что имел место, так сказать, поцелуй. Куда поцелуй, не пиши. Если дело захотят раскрутить, тогда придется, так сказать, уточнение сделать, а если какие-то смягчающие обстоятельства обнаружатся, так твоя хата с краю.

— Все ясно, — кивнул молодой артист. — А то неохота за этого гада потом отдуваться!

В понедельник весь «Мосфильм» бурлил: талантливого художника по костюмам Александра Пичугина, закройщика, известного всей Москве, задержали по подозрению в гомосексуализме и держат в камере предварительного заключения Краснопресненского района.

— Допрыгался! — хмуро сказал Хрусталев и быстро стрельнул глазами на окаменевшее лицо Марьяны. — Спасать его надо. На зоне такому не выжить.

Марьяна зажала рот ладонями и выбежала из павильона.

— Почему не выжить? — спросила зареванная и опухшая Люся. — Че? Там убивают за это?

Хрусталев не ответил. Кривицкого не было, и Регина Марковна сказала, что он в десять часов ровно пошел на прием к Пронину, с которым должен был обговорить выпуск фильма, но до сих пор почему-то из пронинского кабинета не вышел. Руслан ходил, гордо задрав голову, но подробности вчерашней истории обсуждать отказывался.

— Че ты такой гордый, Руслан? — хрипло окликнула его Люся. — Может, приврал с пьяных глаз?

Руслан усмехнулся, и эта усмешка ясно показала всем любопытным, что он *ничего* не приврал.

Люся побежала в гримерную, где был телефон. В гримерной сидела одна Женя и внимательно разглядывала себя в зеркале.

— Вот говорят, что нужно много воды с лимоном пить, — задумчиво сказала Женя. — Все лето пила, а морщин только прибавилось.

— А Лида где? — оглянувшись, удивилась распухшая и зареванная Полынина.

— Она больничный сегодня взяла, — заблестев глазами, прошептала Женя. — По медовому месяцу.

— Замуж, что ли, вышла? — хмуро спросила Люся.

— Ну, замуж не замуж, а вроде того, — загадочно ответила Женя. — Тебе позвонить нужно?

— Да, очень. Но это по личному делу...

— А, ясно! Уже ухожу. Звони на здоровье.

Люся лихорадочно набрала телефон Кривицких.

— Але? — ответил грудной и шелковистый голос Надежды.

— Надюха, он пидор!

— Кто, Люська? Мой... — Надежда запнулась. — Мой... Федя?

— Ты, Надя, даешь! Ты что, Федю не знаешь? Нет, Сашка Пичугин.

Судя по голосу, у Надежды отлегло от сердца.

— Люся! Я тебе как врач говорю: забудь про этого человека. Это, Люся, несчастье. Хуже этого ничего вообще нет и не бывает. По мне так лучше любой уголовник, только не это. Эти люди и сами гибнут, и других за собой в болото тянут. Нам еще в институте объяснили, что в годы становления нашей советской власти такие пидоры развращали советскую молодежь, они просачивались в комсомольские ячейки, в Красную армию, потом устраивали шпионские подразделения...

— Под... чего?

— Ну, не подразделения, конечно, это я неправильно выразилась, но, во всяком случае, это далеко не подарок.

— А лечить их можно?

— Категорически нельзя! У них, Люся, природное отвращение к женщине. Ты ему хоть Софи Лорен подложи!

— И че? Не возьмет?

— Ни за что!

— Ладно, пойду я, — всхлипнула Люся. — Дел по горло.

Никаких дел сегодня не было. Мячин вообще не явился, и где он был, никто не знал. Кривицкий так и не выходил из кабинета Пронина. Регина Марковна сняла свой черный капроновый бант, уселась в углу и занялась тем, что аккуратно наматывала бант на указательный палец правой руки, потом разматывала, сминала, потом опять наматывала. Марьяна отпросилась домой «по нездоровью».

— Ну, раз работы нет, так я тоже пойду, — решила гримерша Женя и вдруг изо всей силы хлопнула себя ладонью по лбу. — Ой! Дура безмозглая! Ведь чуть не забыла! Люська, Пичугин вчера днем сюда заехал и оставил для тебя какой-то пакет. Вот. С записочкой.

Всхлипывая, Люся развернула сверток. Красное платье с большим вырезом и колоколом стоящей юбкой переливалось в ее руках. Она побежала в уборную, заперлась в кабинке, разделась догола, чтобы ничего из ее простецкого белья не мешало, и надела его. Вышла, босая, из кабинки, подошла к зеркалу. Она не только не уступала Софи Лорен, но была намного красивей ее. Записка, приложенная к свертку, была коротенькой: «Дорогая Люся, не знаю, понравится ли тебе этот фасон. Это мое последнее изобретение. Сзади подол немного короче, чем спереди, но это очень здорово смотрится. Я буду рад, если тебе подойдет. Обнимаю. Санча». И сбоку — косыми буковками: «Никогда не сомневайся в том, что ты очень красивая».

Она разрыдалась. Хотела закурить, но не стала: это платье не должно пахнуть табаком. Господи, Боже мой! Что же теперь делать? Рыданием ему не поможешь, это точно. Она умылась холодной водой, насухо вытерла распухшее от слез лицо носовым платком. Вернулась обратно в кабинку, разделась, надела все старое, платье опять завернула, пулей вылетела на улицу, схватила такси, поехала к себе в коммуналку. Прошмыгнула в комнату, не обратив на соседок никакого внимания.

— Люська! — гаркнула одна из них, самая молодая, в шикарном шелковом халате, подаренном ей очередным кавалером, капитаном, как утверждала она, дальнего плавания. — Я борщ тут сварила! Не хочешь покушать?

— Я ела! — наврала Полынина и закрыла дверь на крючок.

Через полчаса вышла из комнаты такая, что у соседок отвисли челюсти. На ней было красное платье с большим вырезом и колоколом стоящей юбкой, туфли на шпильках, — подарок Нади Кривицкой к Новому году, ни разу до того не надетые, — волосы уложены в высокую прическу, ресницы накрашены, густые, пушистые, такие длинные, что только у кукол бывают такие, и губы как вишни. Надя Кривицкая ко Дню Восьмого марта отдала ей польский косметический набор: помада, тушь для ресниц и пудра компактная. Федя привез из Польши, но Наде цвета не подошли, она отдала и сказала:

— Разочек накрасься! Увидишь, что будет!

Теперь она накрасилась и увидела, как у соседок отвисли челюсти. Значит, все в порядке. Опять схватила такси — не в метро же мараться! — и попросила водителя:

— Пожалуйста, отвезите меня в Краснопресненское отделение милиции.

Он оглянулся и крякнул:

— Я где-то вас видел. Актриса небось?

— Почти угадали, — сказала она.

В отделении милиции было тоскливо и накурено. Все время трещал телефон.

— Вам куда, женщина? — спросили у нее.

— Где у вас тут жалобы главному начальству подают? Вот мне туда.

Милиционер в окошечке усмехнулся прокуренным ртом.

— На что жаловаться собираетесь?

— Вчера на Гоголевском бульваре задержали моего мужа. Гражданского мужа, Александра Пичугина, художника с «Мосфильма». По ложному обвинению.

— Пичугина? — Милиционер заглянул в какую-то толстую тетрадь. — Есть такой. Содержим в КПЗ.

— На каком основании?

— Сейчас проверим.

Он перевернул страницу и громко прочел: «Обвиняется в мужеложестве и попытке сексуального совращения Руслана Убыткина». Тут Люся расхохоталась так, что стены Краснопресненского отделения милиции задрожали.

— Чего? Вы с ума посходили? Да я же жена его! Мы же с ним спим! Какое еще... как его? Мужеложество?! Хватаете здорового мужика, приволакиваете его в КПЗ, держите взаперти, а нет чтобы поинтересоваться, мужеложник он или нормальный?

Милиционер нахмурился.

— Так что? Заявил же товарищ Убыткин, что лез к нему, проще сказать, развращал...

— Убыткин? Он врун! Вы такого поищите! Ему с пьяных глаз уже черти мерещатся!

— Я должен начальству доложить.

— Докладывайте! Только учтите: я отсюда никуда без своего мужа не уйду. И кстати, как ваша фамилия?

— А это зачем?

— Ну, вдруг пригодится? — с затаенной угрозой спросила Люся Полынина.

— Лейтенант Полушкин моя фамилия. Волну не гоните, сейчас разберемся.

Лейтенант Полушкин с озабоченным и хмурым лицом постучал в дверь начальника.

— Товарищ майор, разрешите?

Майор ел бутерброд с брынзой, прихлебывал что-то из чашки.

— Ну, что там?

— Баба там одна, ненормальная, скандалит в приемке. Мужика своего обратно требует. А его вчера... ну, это... По мужеловству, в общем, задержали. Артист один показания дал в письменном виде.

— А бабе чего тогда надо?

— Так она говорит, что он как все. Сожительствует с ней, короче. Все чин чином.

Майор встал, дожевывая бутерброд, остатки из чашки вылил в открытый рот, зажмурился, покрутил головой.

— Пойдем разбираться.

При виде Люси майор выпучил глаза: в таких туалетах сюда не приходят.

— Гражданка, с каким вы вопросом?

— Я прошу очной ставки со своим мужем.

— А где это засвидетельствовано, что он ваш муж?

— Слушайте! — Дамочка в красном платье замахала длинными ресницами, смаргивая слезы. — Мы оба работники «Мосфильма». Мы люди искусства, в нашем кругу браки не всегда регистрируются, вы разве этого не знаете?

— В грехе, значит, предпочитаете сожительствовать?

— В любви! Ни в каком не в грехе, а в любви!

— Выведите сюда этого Пичугина! — распорядился майор. — Посмотрим, что он скажет.

У Люси перехватило дыхание. Через пять минут его вывели, грязного, с заплывшим глазом, в синяках. Она закричала и бросилась к нему. Она бросилась к нему так, что ее даже не успели перехватить, она припала к нему всем телом и, плача, принялась целовать его измученное лицо, шею, плечи.

— Родной мой! Да что ж они так?

Он обхватил ее здоровой правой рукой и весь затрясся от рыданий.

— Любимый! Сказать, что ты пидор! Они тут, наверное, сами все пидоры!

Лейтенант Полушкин переглянулся с майором. Сцена была запоминающейся.

— Гражданка! Отойдите от арестованного. Вы пока ничего никому не доказали, — строго сказал майор.

Она обернулась. Лицо ее было в разводах от туши, но глаза сияли так, что майор чуть было не зажмурился.

— Нам, может, вам *тут* показать, что такое любовь? — спросила она очень тихо.

Майор так и подскочил от этого неожиданного и экстравагантного предложения.

— Показывать нам ничего не потребуется, — сказал он, опуская глаза. — Лейтенант Полушкин, запишите показания гражданки... Как вас?

— Людмила Полынина, — сказала она. — В браке буду Пичугина.

— Запишите показания гражданки Полыниной. Вы утверждаете, что состоите в гражданском браке с гражданином Пичугиным?

— Утверждаю, — сказала она и всхлипнула.

— А вы, гражданин Пичугин, подтверждаете, что гражданка Полынина — ваша гражданская жена?

— Конечно, — сказал тихо Санча.

— И у вас регулярно происходят, так сказать, нормальные половые контакты?

— Не регулярно, а ежедневно! — вскрикнула Люся. — Мы только что со съемок вернулись, жили там в деревне, в общежитии для доярок, каждый день занимались любовью! Как работу заканчивали, так сразу друг к дружке! Там он мне и предложение сделал. А тут — нате вам! Убыткин письменное заявление сделал! Да он же подонок!

Лейтенант Полушкин, багрово покрасневший, отложил перо и вытер рукавом вспотевший лоб.

— Если гражданин Убыткин согласен взять обратно свои показания, — сиплым голосом сказал майор, — так причины для задержания гражданина Пичугина соответственно снимаются. А если же он не согласен...

Гражданка Полынина вся осветилась благодарной и счастливой улыбкой.

— Товарищи! Мы все ваше отделение позовем на свадьбу! Я слово даю вам, что всех до единого!

— Уведите пока что гражданина Пичугина, — распорядился майор. — И назавтра вызовите сюда этого... как его? Убыткина.

— Сашенька! — И Люся опять бросилась к нему. — Любимый мой, милый! Я жить без тебя не могу!

На улице она сразу схватила такси и помчалась в общежитие «Мосфильма».

— Бабушка, голубочка, — сказала она вахтерше, — в какой комнате Руслан Убыткин живет?

— Русланушка? — Вахтерша улыбнулась железными зубами. — В двенадцатой он, наш красавец.

— Ну, я тебе покажу «красавца»! — раздувая ноздри, шипела гражданка Полынина, взбегая по лестнице. — Ты у меня попляшешь!

Не постучавшсь, она ногой отворила дверь и вошла. Руслан Убыткин стоял перед зеркалом, голый до пояса, и, согнув в локте свою руку, внимательно рассматривал напружинившийся бицепс.

— Убыткин, — с порога спросила она, — ты как предпочитаешь: чтобы тебя совсем перестали снимать или чтобы снимали раз в десять лет?

— С чего это меня вдруг перестануть снимать? — обиделся голый Убыткин.

— С того это «вдруг», — медленно объяснила она, — что я тебя *так* теперь буду снимать, *таким* уродом представлю, что тебя ни к одной съемке близко не подпустят!

Убыткин побледнел и опустился на кровать.

— Ты, Русланушка, знаешь, что все в наших руках, в операторских. Как мы снимем, таким и выйдешь. А я на всех главных картинах занята. Ты теперь от меня на сто процентов зависишь.

Руслан торопливо икнул. Дар речи его покинул.

— Иди в милицию и забирай обратно свое поганое заявление!

В синих глазах актера загорелась надежда.

— Сейчас, что ли, прямо идти?

— Иди, — приказала она. И вдруг спохватилась: — Я тебя сама довезу. Такси поймаем и довезу тебя до двери. И буду в машине сидеть.

В Краснопресненском отделении милиции даже и не удивились, когда красивый, немного смущенный Руслан Убыткин забрал обратно порочащее его коллегу, художника по костюмам Александра Пичугина, обвинение в сексуальном домогательстве и написал пространное объяснение, что в пьяном состоянии неправильно расшифровал дружеский жест Александра Пичугина, слегка только похлопавшего его по плечу во время того, как Александр Пичугин объяснял ему, Руслану Убыткину, что на свете нет ничего прочнее, чем семья, и ничего выше, чем любовь к женщине. В качестве примера Александр Пичугин ссылался на свои отношения с Людмилой Полыниной, с которой в самом скором времени предполагает расписаться. На вопрос, что же заставило его так зверски избить Пичугина, Руслан Убыткин повесил голову на грудь и смущенно признался, что был сильно пьян и с помощью избиения выместил на коллеге свою обиду на то, что его актерская карьера до сих пор не сложилась должным образом. Вечером того же дня Александр Пичугин был освобожден. Он позвонил домой из ближайшего телефона-автомата, обрадовал бабушку и Марьяну неожиданной новостью, но сказал, что сегодня ночевать не придет, потому что у него «изменились обстоятельства».

— А где же ты, Саша, ночуешь? — спросила спокойно Зоя Владимировна.

— У девушки, — ответил внук.

Бабушка побледнела, но попрощалась вежливо и только попросила при случае прийти в гости с «девушкой» и всем пообедать семейно.

Глава 20

Этим же вечером майор Цанин был вызван наверх, и там, наверху, в кабинете с наглухо закрытыми дверями и портретом Феликса Эдмундовича Дзержинского ему коротко сообщили, что «можно действовать».

— Так что? — хрипнул Цанин. — Прямо можно с фамилией? Или это секрет?

— Уже не секрет, — холодно сказали ему. — Сергей Викторович Хрусталев через неделю будет освобожден от занимаемой должности, и на его место будет назначен другой человек. В среду он об этом узнает. Вы нам очень помогли.

— Не зря, значит, я натерпелся? — не выдержал Цанин.

— Лучше бы вам не бросаться такими словами, — еще холоднее объяснили ему. — И главное, смотрите, чтобы не просочилась никакая информация. Вы поняли нас? НИКАКАЯ.

— Когда статья-то появится? — спросил Цанин. — Может, помощь нужна?

— Если нам понадобится ваша помощь, мы вам сообщим. А что касается статьи, то не беспокойтесь: появится в конце недели.

На том и расстались. Все эти события произошли в понедельник. То есть как раз в тот день, когда Кривицкий должен был «сдать» фильм. Директор «Мосфильма» Пронин принял режиссера с распростертыми объятьями, фильм посмотрели вместе, нахохотались оба до слез, потом секретарша принесла в кабинет поднос с закусочкой, коньячок, кофе, и Пронин сказал:

— Теперь, Федор, большие дела начинаем. С итальянцами будешь снимать. Софи от тебя без ума. Шикарная женщина.

— Анекдот про Софи и про грузина знаете? — ухмыльнулся Кривицкий. — Тогда расскажу. Приезжает Софи Лорен в Тбилиси. Ну, ее встречают, конечно, принимают как королеву. А вечером в гостиницу приносят ей коробочку. Открывает. Там — мать честная! Серьги! Бриллиант с изумрудом. Она: «Ах! Ох!» При серьгах записочка: «С приветом от Гиви». Она не знает, что делать, но серьги понравились. Оставила. На следующий день опять коробочка: бриллиантовое колье. А рядом записочка: «С приветом от Гиви». И номер телефона. Она позвонила. В трубке — мужской бас.

И Кривицкий мастерски изобразил грузинский акцент. Пронин слушал с интересом.

— Она опять: «Ах, ох! Как же мне вас благодарить, дорогой Гиви? Такие подарки!» А он ей говорит: «Зачэм благодарит? Когда вас обратно в Италию правожать будут, я в пэрвом ряду праважающих буду стоять. Невысокий такой, в кэпке. На лице — усы. Вы мне рукой памашите и скажите: «Да свиданья, дарагой Гиви!» И все. И больше ничего нэ нужно». Провожают ее на следующий день в аэропорту. Оборачивается она уже на трапе — красивая, с роскошными сиськами — и видит: стоит в первом ряду — маленький, кривоногий, на голове кепка, на роже — усы. Она вся просияла, рукой ему машет, кричит: «До свиданья, дорогой Гиви!» А он рожу скорчил, как будто у мыши задницу лизнул, и давай обеими руками отмахиваться: «Иди уже! Иди! Пристала ко мнэ, как пиавка! Надаела, сил больше нэт!»

Оба расхохотались. Пронин вытер глаза носовым платком.

— Я сегодня твою картину, Федор, наверх отправлю. Думаю, нам с тобой ждать недолго. Через недельку на премьере будем выпивать.

Утром во вторник он позвонил Кривицкому на дачу.

— Я, Федя, ничего не понимаю. Картина на полку пошла. Никаких объяснений.

— За что? Что такое? — побагровел Кривицкий.

— Сказал ведь тебе: сам не знаю! И все! Конец разговору!

Пронин бросил трубку. Через час Кривицкий был уже на «Мосфильме». В павильоне собралась вся съемочная группа, исключая Мячина и Хрусталева.

— Где второй режиссер и главный оператор? — заревел Кривицкий.

— Мячина и вчера не было, а где Хрусталев, неизвестно, — прикуривая, хрипло сказала Люся Полынина.

Кривицкий бегло взглянул на нее, заметил воспаленное лицо, странно блестящие и бегающие глаза, пальцы с обкусанными заусеницами. Она словно бы и постарела лет на двадцать и похорошела одновременно, вернее сказать, расцвела той красотой, которой внезапно и ненадолго расцветают женщины, познавшие горечь и силу любви.

— А Саша Пичугин? Его отпустили?

— Да, — так же хрипло ответила она. — Его отпустили, и он отдыхает.

Марьяна покраснела и, не удержавшись, вслух ахнула. Люся быстро стрельнула в нее глазами. Тут, значит, тоже что-то такое происходило, свои тайны и загадки, но Кривицкому было не до них. Сами пусть разбираются.

— Новости у меня плохие, — сказал он. — Наш фильм положили на полку.

На секунду воцарилось молчание, потом все заговорили разом, перебивая друг друга.

— Что? Почему? Там же прицепиться не к чему!

— Есть к чему! — перекрикивая взволнованные голоса, отрезала Регина Марковна и с сердцем сорвала черный капроновый бант с головы. — Очень даже есть! Пощечину Цанину помните?

Съемочная группа опять онемела.

— Е-мое! — выдохнул наконец Аркаша Сомов. — А я недопер! Конечно же, следователь! Стукнул, куда надо, и все дела!

— Хрусталев должен пойти и извиниться! — взвизгнул Руслан. — Нам картина дозарезу нужна!

— Никуда он не пойдет. Вы что, Хрусталева не знаете? — глядя в пол, пробормотала Люся. — Скажи, Инга: пойдет твой мужик извиняться или не пойдет?

Инга Хрусталева была такой бледной, что казалось, будто на ее лице лежит тонкий слой инея. Она ничего не ответила и отвернулась.

— Заставим пойти, — угрожающе произнесла Регина Марковна. — Он ведь не один, за ним целый коллектив, и поэтому...

Она не успела закончить свою мысль: в павильон уже входил Хрусталев, шутливо поднимая руки вверх в знак того, что он опоздал и просит извинить его за опоздание.

— Фильм на экраны не выйдет, — отрывисто объяснил ему Кривицкий. — Потому что ты ударил следователя, а он настучал.

— Это точно? — спросил Хрусталев, заиграв желваками.

— Куда уж точнее!

— Так. Я, кажется, понял. Чего вы хотите?

— Витя, — не отвечая, спросил Кривицкий. — Ты, кстати, не знаешь, где Мячин?

— Я именно из-за Мячина и задержался, — ответил Хрусталев. — Он мне самому нужен. Я утром ходил в общежитие, спросил у узбека...

— Какого узбека?

— Соседа его.

— Ты собираешься извиниться перед Цаниным?

— Нет.

— Да как же ты смеешь? — грозно поднялась со своего стула Регина Марковна. — Тебе коллектив приказал!

— Приказывают только слону в цирке, — ответил Хрусталев. — Или заключенному за решеткой. А я — ни то и ни другое. Ну, ладно. Вы тут совещайтесь, у меня другие дела.

За рулем красного «Москвича» он попытался взять себя в руки и принять решение. Он догадался, что Мячин опять сорвался и то ли удрал к матери, никого не поставив в известность, то ли прячется где-то, обуреваемый своими сомнениями и страхами. Если Марьяна собирается связать с ним свою жизнь, то ей не позавидуешь: неврастеник. Но очень талантлив и, кажется, с душой. Во всяком случае, нельзя отпустить его до тех пор, пока они не приступили к обещанному Прониным фильму по сценарию Паршина. Сосед по общежитию очень, судя по всему, преданный Егору, сначала только мычал и разводил руками:

— Не знаю я, где он. Ушел, не сказал.

Но Хрусталев все-таки добился своего:

— Пойми, дорогой. Я о Мячине беспокоюсь, а не о себе. Тут дело серьезное. Ты только скажи: он в Брянск ускакал?

— У женщины он, — неохотно отозвался сосед и покрутил головой в бархатной темно-красной тюбетейке. — Сказал: «Там живу. Если нужно, найдешь».

И протянул Хрусталеву бумажку с адресом. Теперь он ехал по этому адресу и торопился. Если Мячин узнает от кого-нибудь, что «Девушка и бригадир» положена на полку, он точно исчезнет. И тогда на их главном фильме можно поставить крест. Некому будет его делать. В голове у Хрусталева потрескивали искры, как это бывает, когда огонь только разгорается и медлит прежде, чем его пламя начнет пожирать все вокруг.

«Они требуют, чтобы я пошел извиняться перед этим подонком! Они смеют требовать! Послать всех подальше!»

Он отчетливо увидел перед собой съемочную группу в ту минуту, когда Кривицкий сообщил ему, что фильм положили на полку, а он отказался идти к следователю с повинной. Раскрытый рот Аркаши Сомова, нахально-возмущенную рожу Убыткина, красные, затрясшиеся щеки Регины Марковны, нахмуренное, удивленное лицо Кривицкого — все это запрыгало, замелькало в воздухе, полном летящих с деревьев черно-золотистых листьев, смешалось с ними и тут же исчезло. Осталось только отчаянное лицо Марьяны с этими ее любящими и полными страха глазами. Инга была там же, но она смотрела на него с гневом и нетерпением. Она знала, что он ни за что не согласится на то, чтобы пойти к мерзавцу Цанину. Она его знала, и он был противен ей в эту минуту. Он был ей чужим, как и всем остальным. Всем, кроме Марьяны. Хрусталев вспомнил, что она не только не произнесла ни слова, когда его стали уговаривать и возмущаться, но, напротив, отодвинулась от них, села к окну и, когда, уже уходя, он обернулся, зажала обеими руками рот, и этим невольным порывистым движением напомнила ему всю себя так сильно, что даже сейчас, представив ее с прижатыми ко рту руками, Хрусталев передернулся.

Адрес, нацарапанный на бумажке, было, во-первых, трудно разобрать, а во-вторых, Хрусталев, даже и разобравшись, никак не мог понять, где же это: дом номер четыре, строение четыре, корпус один. Наконец какая-то старушка с желтоватой болонкой пришла к нему на помощь и сказала, что на все остальное, кроме номера дома, вовсе не нужно обращать внимания. Он поднялся на второй этаж старого дома в Замоскворечье, где лестница так скрипела под его шагами, как будто ей больно и она просит пощадить ее, постучал в обитую ободранной клеенкой дверь. Ему открыла гримерша Лида, а за Лидиным плечом торчали какие-то женские головы, некоторые в бигуди, а некоторые в платочках.

— Проходите, Виктор Сергеевич, — слегка замешкавшись, сказала Лида. — Егор Ильич отдыхает. Я его сейчас разбужу.

И, виляя бедрами, повела его по узкому, завешанному тряпьем коридору. В маленькой комнате было тепло и уютно. Повсюду лежали кружевные белые салфеточки, на салфеточках стояли слоники, по стенам были развешаны фотографии: больше всего самой Лиды, кудрявой, в купальниках и очень открытых летних платьях, но было и несколько Лидиных подруг, весьма некрасивых, с погасшими глазами. На столе стоял букет свежих полевых цветов и ваза с восковыми зелеными яблоками. Комната была надвое перегорожена ширмой, и оттуда, из-за ширмы, раздавалось жалобное постанывание: «О-ох! о-ох!»

— Это Егор Ильич так дышит, — смущенно объяснила Лида. — Я сперва тоже не поняла. Вдохнет в себя воздух, а выдыхает со стоном. Я думала, может, у него болит что-нибудь, а оказалось нет. Такое у него во сне дыхание жалобное.

— Буди его, Лида, — приказал Хрусталев. — Он мне срочно нужен.

По-прежнему виляя бедрами, Лида скользнула за ширму, и Хрусталев услышал ее нежный шепот:

— Егорушка, зайчик! Вставай, просыпайся! А то ты заспался, мой милый-хороший! Уж день наступил, а ты спишь все да спишь!

Через пять минут в новом тренировочном костюме, всклокоченный и небритый, в разношенных женских шлепанцах, появился Мячин.

— Здорово, мой милый-хороший! — насмешливо сказал Хрусталев. — Что ж это ты так заспался?

— А что еще делать? — угрюмо, сиплым голосом спросил Мячин. — Я на «Мосфильм» больше не вернусь.

— Пойду чайник поставлю, сырничков сделаю, — захлопотала Лида. — Вы тут располагайтесь, беседуйте, а я мигом!

И убежала на кухню. Несколько секунд они молча смотрели друг другу в глаза.

— Я понимаю, — сказал Хрусталев, — я понимаю, что у тебя весь этот «Мосфильм» в печенках сидит, но так же нельзя! Куда ты забрался?

— Я забрался туда, где мне уютно, — не поднимая глаз, ответил Мячин. — Туда, где меня понимают и любят.

— Вот эти, значит, кружевца со слонами и есть твой уют? И эта вот толстая баба?

— Она не баба, а женщина, — оборвал его Мячин. — Без всяких капризов и без закидонов. Хорошая, добрая, честная.

— Сырнички вкусные делает?

— Что? — не понял Мячин. — А! Сырнички! Сырнички вкусные.

— Живот нарастишь, как у Феди, на сырничках.

Мячин упрямо мотнул головой и не ответил.

— Слушай меня! — Хрусталев с силой повернул его за плечо. — Мы с тобой о чем договорились? Не помнишь уже? Мы договорились, что, как только закончим эту муру, сразу приступаем к сценарию Паршина. Это единственное, что от него осталось. Он был другом и мне, и тебе. Он хотел, чтобы по этому сценарию сняли фильм. Самый честный и серьезный фильм о войне.

— Да, о войне! — оживился Мячин. — Я ведь об этом часто думаю. Тут есть один парень, сосед. Еврейский парень. Они откуда-то из Белоруссии. Мать расстреляли, отец не вернулся с фронта. Он чудом выжил. Он и бабушка. Когда началась война, они были в гостях у бабушкиной сестры, она живет в Москве, поэтому их миновало. К себе в городок они уже не вернулись. Он заканчивает консерваторию. У Ойстраха в классе. На скрипке играет. Я в музыке мало разбираюсь, но мне кажется, он жутко талантливый. Я его послушал тут позавчера и подумал: вот какую музыку можно для фильма использовать! И лицо у него выразительное. Горькое лицо. Давать между кадрами такие, знаешь, короткие заставки: стоит человек, молодой парень, и играет. И еще можно...

Он вдруг замолчал.

— Ну, Егор, говори!

— А я все сказал. — Он опять замкнулся.

— Я знаю, о чем ты думаешь, — глухо произнес Хрусталев. — У нас с Марьяной была короткая история. Никакая это не любовь ни с той, ни с другой стороны. Женись, и вы будете счастливы.

— Ты мне ее прямо как вымпел передаешь. А если я на другой женюсь?

— Сопьешься, погубишь другую, — усмехнулся Хрусталев.

Мячин свесил голову на грудь.

— Дай мне подумать до вечера, — пробормотал он. — Свалился как снег...

Лида вернулась в комнату сразу же после ухода Хрусталева. Мячин поднял на нее затравленные глаза.

— Садись скорей завтракать, — защебетала она. — Я тебе и сырничков нажарила, и оладушек. Сейчас банку с протертой черной смородиной открою, и будет такой витамин!

Он встал, подошел к ней и хотел было обнять за плечи, но тут же резко отстранился.

— Прости меня, — сказал он. — Я сволочь, конечно, но я не смогу... Ведь это на целую жизнь...

Она закрыла лицо руками и заплакала.

— Удерживать тебя не собираюсь, Егор. Ты еще волосы на себе рвать будешь. Запомни, что я говорю! Я зря не скажу!

— Ты, может быть, даже права. Я не знаю, — тихо сказал он и осторожно погладил ее по голове. Лида отдернулась, по-прежнему закрывая лицо. — Но я ее правда люблю. Это правда.

— Иди к ней, убирайся! — истерически закричала она. — Не нужна мне твоя правда! Вы все, мужики, одинаковые! Всунул-вынул-убежал!

Мячин густо покраснел и начал поспешно собирать свои вещи. Выйдя на улицу, он удивился: оказывается, наступила осень — моросил легкий, серебрящийся дождик, небо было затянуто низкими тучами.

«Это была короткая история. Никакой любви ни с той, ни с другой стороны», — вспомнились ему слова Хрусталева.

Она ведь сама пришла к нему тогда, в деревне. Не в ее духе демонстрировать что-то, мстить, наказывать. Не стала бы она с ее чистым и светлым характером на глазах у всех переезжать к Мячину, если бы не тянулась к нему, не доверяла, не любила, в конце концов!

Он почти бежал по улице. Лицо было мокрым от дождя, холодные капли стекали за воротник куртки. Чуть было не добежал от Замоскворечья до Плющихи, но вовремя опомнился: сел на 64-й автобус, подъехал почти к ее дому. Сердце стучало так сильно, что стук его заглушал даже громкие гудки машин. Долго никто не открывал, за дверью слышался смех. Наконец открыла, вся розовая от волнения, Зоя Владимировна.

— Егор? Как я рада! У нас Саша с Люсенькой!

Он увидел сидящих за столом Марьяну, Пичугина и Люсю Полынину в красивом красном платье. Они оживленно и нарочито радостно о чем-то говорили. Марьяна вскочила, увидев его.

— Я к тебе, — сказал Мячин. Все потемнело перед его глазами. — Я прошу тебя стать моей женой.

Темнота рассеялась, и в вернувшемся свете он увидел, как брови ее взлетели вверх, а глаза налились слезами. Она молчала.

— Я вообще не могу без тебя, — сказал он. — Пробовал, у меня не вышло.

Тогда она подошла ближе и прижалась к нему. Так сильно и быстро прижалась, как будто хотела спрятаться ото всех.

Зоя Владимировна всплеснула руками:

— Так у нас, значит, две свадьбы будут, а не одна!

— Бабуля, зачем тебе свадьбы? — негромко спросил Пичугин. — Мещанство, и все.

— Ах нет, не мещанство! — обиделась Зоя Владимировна. — Что же здесь такого мещанского? Люди любят друг друга, хотят это отпраздновать, хотят, чтобы за них порадовались. Как тебе, Саша, в голову могла прийти такая глупость? Сказать, что свадьба — это мещанство? Правда, Люсенька?

Люся торопливо кивнула головой и покраснела.

— Пусть Санча решает, а мне все равно.

Мячин смотрел на Марьяну и не чувствовал в своей душе прежней жадной любви и прежнего желания к ней. Вместо этого его переполняло щемящее удивление перед ее покорной слабостью, перед этими слезами, которые она торопливо вытерла пальцами, перед ее хрупкостью и беззащитностью, которую он сейчас особенно остро ощутил, когда она вместо ответа просто подошла и спрятала лицо у него на груди. Он вдруг понял, что им предстоят не одни розы, не праздники, не достижения, не победы, как он думал раньше, когда не давал ей проходу своей влюбленностью, а жизнь, непредсказуемая и трудная просто потому, что другой жизни не бывает у людей и не должно быть.

— Мы устроим большую свадьбу, — твердо сказал он. — Огромную. Мы всех пригласим. Я завтра пойду в «стекляшку» и договорюсь на следующую субботу. Санча, ты успеешь сшить моей жене свадебное платье?

Глава 21

Вечером того же дня в квартире на Шаболовской состоялось тяжелое объяснение. На улице шел дождь, и поэтому Аську некуда было выгнать: она сидела с ногами на диване и слушала все, что говорили друг другу ее строптивые родители. Началось с того, что за ужином папа предложил поехать в Ялту на машине и провести там дней десять-двенадцать.

— Съемки закончены, — сказал папа. — Фильм готов. Почему бы нам не отдохнуть? Ты же сама хотела.

Мама подняла мрачные глаза.

— Ты, наверное, забыл, что твоя дочь посещает школу? Каникулы тоже закончились.

— Ерунда! — папа отмахнулся. — Я договорюсь, пропустит недельку.

— Ах, ты договоришься! Может быть, ты и с Цаниным заодно договоришься? Это важнее.

Папа достал сигарету и закурил. Борщ стыл в тарелках.

— Ты упорно не хочешь меня услышать?

— Почему это *я* должна услышать тебя, *а ты* меня услышать не хочешь? Разве ты не знаешь, сколько лет я сидела почти без работы, озвучивала идиотские мультики, и теперь, когда наконец готов фильм и моя карьера может опять пойти вверх, ты тешишь свое идиотское самолюбие, вместо того чтобы просто снять трубку, набрать номер и сказать идиоту-чиновнику, что ты погорячился и сожалеешь о своем поступке? И все! Тем более что это касается целой группы людей! Которые напрямую зависят от того, выйдет или не выйдет сделанный ими фильм!

— Так, — сказал папа. — Давай закончим бесполезный разговор. Звонить я не буду. Ты едешь со мной в Ялту? Ну? Да или нет?

Мама молчала.

— Мне нужно проверить задние колеса, — сказал папа. — А то сковырнемся еще. Поедем завтра утром. Ася, собирайся. Я спущусь вниз к машине.

Он хлопнул дверью и ушел. Тогда мама стащила с антресолей большой чемодан и начала лихорадочно кидать в него папины вещи. Ася со страхом смотрела на нее. Мама надавила на крышку, чемодан захлопнулся. Она, сморщившись, подняла его и потащила в коридор.

— Куда ты? — вскрикнула Ася.

— Сейчас узнаешь.

Ася настежь раскрыла окно и свесилась вниз. Она увидела, что папа снял заднее колесо «Москвича», и «Москвич» сразу уменьшился. Потом увидела, как, волоча тяжелый чемодан, из подъезда вышла мама и подошла к нему. Они говорили громко, почти кричали друг на друга, и Ася слышала каждое слово.

— Зачем ты его притащила? — раздраженно спросил папа. — Я же сказал, что мы уезжаем завтра утром!

— Ты, — нажимая на «ты», ответила мама, — ты уедешь сейчас. Я не хочу тебя ни видеть, ни слышать.

— Эксперимент не удался, — спокойно сказал папа. — Любовная лодка разбилась о быт...

Он поставил колесо на место, а мама, не дождавшись, пока он уедет, пошла обратно к подъезду. По дороге ее остановила соседка, и они начали о чем-то разговаривать так, словно ничего не происходит. Тем временем папа сел в машину и уехал. И тут Ася разрыдалась. Она рыдала так страшно, что через секунду у нее заболели и грудь, и горло, и нёбо. Она ничего не видела и не слышала, все было соленым, разъедало кожу, давило ей на голову, на плечи. Перед глазами замелькало красное пятно, и она догадалась, что это вошла мама, стоит над ней, ожидая, пока Ася успокоится. Мама была виновата в том, что он уехал. Подробностей Ася не знала, но папа хотел помириться, он хотел, чтобы они все втроем поехали на машине в Ялту, а мама ему помешала. Больше он сюда никогда не вернется.

— Хватит, Аська, — сказала мама. — Тебе нужно доделать геометрию и ложиться спать.

— Ненавижу тебя, — выдохнула Ася. — Вы меня измучили. Зачем я у вас родилась?

— Не знаю зачем, — раздувая ноздри, ответила мама. — Наверное, чтобы мне жилось веселее. А то мне мало всего. Не хватает только твоих истерик.

— Но я ненавижу тебя! — сквозь рыдания прокричала Ася. — Ненавижу! Ненавижу!

Ее колотило. Тогда мама схватила ее за плечи и начала трясти. Мамино лицо вплотную приблизилось к ее лицу, расширенные глаза словно ослепли.

— Идите вы к черту! — просипела мама. — Всю кровь мою выпили! И ты, и твой папочка!

Тогда Ася вырвалась и как была, без куртки, в одном летнем платье, вылетела из комнаты. Инга ничком упала на диван. Через несколько минут ей стало холодно: она заметила, что окно открыто, но сил вставать не было. Она протянула руку, нащупала на стуле свой белый вязаный платок, завернулась в него и провалилась в сон. Она не представляла себе, сколько прошло времени. Когда она проснулась, на дворе стояла глубокая ночь, вся исполосованная то очень сильным, то слегка затихающим дождем. Инга встала, закурила и заглянула в комнату дочери. Аси там не было. На аккуратно застеленной клетчатым пледом раскладушке белел раскрытый учебник геометрии. Она вышла на кухню, заглянула в ванную. Аси не было. Тогда она начала стучаться к соседкам, и через несколько минут Катя с Матрешей выскочили, обе в длинных ночных рубашках, заспанные, со всклокоченными остатками редких волос.

— Да не заходила она! — заговорили они хором. — Мы слышали: дверь у вас хлопнула. Думали, Витька.

От страха у Инги застучали зубы. Трясущимися руками она набрала Хрусталева. В трубке раздались длинные гудки, он долго не подходил. Инга чувствовала, как голова наливается горячей густой кровью и перед глазами все время вспыхивают лиловые искры, похожие на светлячков.

— Але? — недовольным и немного пьяным голосом спросил Хрусталев.

— Она у тебя?

— Кто она?

— Ася! Ася-я-я-я!

— Нет! — испуганно крикнул Хрусталев. — Почему она должна быть у меня? Три часа ночи!

— Она ушла. Не знаю, куда и когда.

— Вызывай милицию! — заорал он. — Я сейчас приеду.

В милиции к ее словам отнеслись спокойно.

— Вы не паникуйте, женщина, — сказали ей дружелюбно. — Она ведь у вас подросток? А подростки эти сплошь и рядом из дому убегают. Не успеваем ловить. Денек подождите, проголодается и сама вернется.

— Я требую, чтобы вы немедленно приняли меры. Чтобы вы начали поиски моей дочери Анны Хрусталевой сию же минуту! — Инга не выдержала, опять разрыдалась и бросила трубку.

По-прежнему кутаясь в белый платок, она вышла во двор. Мокрые пряди распущенных волос облепили ее лицо, грудь и плечи. Дождь припустил сильнее, почти ничего не было видно за его сплошной пеленой.

— Господи! — шептала она. — Прости меня! Это я одна во всем виновата! Я не обращала на нее никакого внимания, я думала только о себе! Сделай так, чтобы она вернулась, Господи! Только бы с ней ничего не случилось!

Во двор въехала милицейская машина, и Инга, проваливаясь в пузырящиеся лужи, бросилась к ней.

— Она не могла далеко уйти! — забормотала она. — Тут некуда идти, школа закрыта...

— Приметы нам дайте, — хмуро сказал один из милиционеров. — Рост, в чем одета.

Инга начала описывать Асю, но никак не могла вспомнить, в чем та выскочила из дому.

— Ну, ладно, неважно! — не выдержал милиционер. — На лице есть какие-то особые отметины?

— Отметины? — переспросила Инга. — Какие отметины? Она такая хорошенькая!

Милиционер переглянулся с напарником.

— А почему ваша «хорошенькая» на ночь глядя из дому убежала? Обидели, что ли?

— Обидели, да. Я обидела!

— Ну вот. А теперь убиваетесь!

Через несколько минут на дикой скорости во двор влетел красный «Москвич». Из него, растерзанный, в куртке на старую майку, в которой он, наверное, спал, вышел Хрусталев и по лицу жены понял, что Аська не нашлась.

— Витенька, Витенька! — забормотала Инга, вцепившись ему в рукав. — Что же делать? Как страшно-то, Витенька...

Хрусталев, не говоря ни слова, зажег карманный фонарик и побежал куда-то за гаражи. Его высокое и худое тело еще мелькнуло пару раз на фоне огромной свалки и сразу исчезло.

— А там ведь пустырь. Ни кола ни двора, — удивились милиционеры. — Куда он так ринулся? Вы, мамаша, идите домой, а мы объедем пока что соседние улицы, во дворы заглянем. Может, отыщем.

Скользя по мокрым, отлакированным дождем листьям и оступаясь, Хрусталев спустился в овраг, увидел небольшой холм, заваленный сосновыми ветками, раздвинул их и спрыгнул вниз. Его дочка, сжавшись от холода, лежала на земле. Рядом с ней стояла кружка с водой и лежал кусок сухого хлеба. Она увидела его, но не поднялась навстречу, а только изо всех сил обхватила себя обеими руками, словно обняла, и так сильно, как должен был обнять ее кто-то из них: отец или мать. Он погасил фонарик, опустился рядом с ней на корточки, нащупал ее лицо. Лицо было мокрым от слез.

— Аська, — пробормотал он. — Ты что вытворяешь?

Она громко всхлипнула в темноте.

— Доченька, — пробормотал Хрусталев. — Моя доченька.

Она бросилась к нему на шею, уткнулась в него, и Хрусталев почувствовал, что еще немного, и он разревется.

— Прости ты нас, ладно? — прошептал он в ее волосы, запах которых был тем же самым, что и в детстве, и по-прежнему напоминал аромат свежескошенной травы.

Инга сидела на лавочке у подъезда, кутаясь в совершенно мокрый от дождя платок. Увидев их, она встала и медленно, неуверенно, словно каждый шаг причинял ей физическую боль, пошла навстречу.

— Я боялась, что никогда тебя не увижу, — хрипло сказала она и погладила дочь по голове. — Уже пять часов.

Начинало светать, но дождь не переставал, и в холодном сумраке Хрусталев заметил, что лица и Инги, и Аси были очень бледными, а темные, распухшие от слез глаза и той, и другой смотрели на него как-то особенно безнадежно и вопросительно.

— Идите домой и ложитесь. Аська, ты сегодня школу пропусти. Я позвоню, скажу, что у тебя ангина. — Он замялся. — Ладно! Я утром пойду к Цанину! Пойду, извинюсь. Ничего другого не остается!

Глава 22

Надя Кривицкая считала, что с дачи нужно было уже давно перебраться в город. Поселок опустел, по ночам в лесу кричала сова, и тетя Паша, молочница, у которой они покупали молоко, ходила свои пять километров туда и пять обратно с тяжелым бидоном и привязанной к нему позвякивающей кружкой не в тапках, как летом, а в огромных мужских резиновых сапогах, потому что грязь на дороге от деревни до дач была непролазная.

— Но ты же хотела сначала ремонт сделать в квартире! — напоминал раздраженный Кривицкий, злясь на жену, которая упорно не желала понимать, что фильм зарубили и все они повисли на волоске. — Тебе что, здесь плохо?

— Не плохо, а скучно. — Надя показывала ямочки на щеках и кротко улыбалась. — И Машеньке скучно.

Кривицкий выкатывал глаза:

— Четыре месяца, и ей уже скучно?

— Ты, Феденька, детей не понимаешь. Дети очень социальны, они с младенчества нуждаются в обществе.

Решили переезжать. Начали укладываться. Их планы нарушил звонок Пронина.

— Надюша, — странным, не своим голосом сказал в телефонную трубку директор «Мосфильма». — Федор там далеко? Давай его, Надя, скорее.

Кривицкий весь поджался, кончики пальцев похолодели.

— Не ждал я, что вы позвоните так рано...

— Мы, Федор, в Италию едем с тобой! — приглушенно сказал Пронин. — Мне самому только что позвонили. Я чуть в штаны не наложил, ей-богу!

— Когда же мы едем?

— Сегодня мы едем. Ты понял? Сегодня! Летим! В пять часов.

— А как же документы? Три года назад, когда в Париж собирались, нас ведь полгода оформляли...

— А сейчас все в один день сделали! Вот так вот! С Лукино Висконти поедем знакомиться! Посмотрим, проверим. Прощупаем, в общем. Тут главное не упустить ничего.

Ни о каком переезде с дачи в город речи уже не было. Надя и домработница сбились с ног, собирая Фёдора Андреича в дальнюю дорогу.

— На сколько ты, Феденька, летишь? — спохватилась Надя.

Кривицкий звонко хлопнул себя по лбу:

— А я не спросил! На неделю, не меньше.

— Так сколько же вам пинжаков-то ложить? — домработница сделала круглые глаза.

— Клади сколько влезет! — сурово приказал Федор Андреич. — Чтобы мне тоже, знаете, не в грязь лицом...

В час дня они с Прониным и еще двумя товарищами уже сидели во Внуковском аэропорту. В суматохе Кривицкий в последний момент вспомнил, что нужно позвонить Регине Марковне и сообщить ей, что он отбывает в Италию. Регины Марковны дома, разумеется, не было, но подошел Сережа, муж доблестной женщины, и спросил, нужно ли что передать.

— Бардак у нас, Серый, — по-свойски сказал Федор Андреич. — Сейчас вот в Италию нужно слетать...

— Лети, Федя, ни о чем не беспокойся. Все будет путем. Я Регине скажу.

И Федор Андреич улетел. За час до его отлета Хрусталев постучался в кабинет следователя Цанина. Во рту у него было кисло, и слегка подташнивало.

Цанин сидел за столом, зарывшись в бумаги, и на вошедшего Хрусталева почти не обратил внимания. Хрусталев негромко кашлянул. Цанин поднял голову от бумаг.

— Я вас разве вызывал на сегодня, товарищ Хрусталев?

— Нет, — у Хрусталева сузились глаза. — Вы меня не вызывали, товарищ Цанин. Я пришел извиниться перед вами.

Цанин замахал короткими руками.

— Извиниться? Я просто сейчас разрыдаюсь от счастья!

— Послушайте! — Хрусталев непроизвольно сжал кулаки. — То, что произошло, произошло между мной и вами, верно? Почему вы отыгрываетесь на нашем фильме? Я там был только оператором, я только снимал! А остальные сорок человек сделали все остальное! За что им страдать?

— Я отыгрываюсь на вашем фильме? Плевать мне на фильм! Плевать, растереть и забыть! Идите, товарищ Хрусталев, вас ждут большие дела!

— Издеваешься, да? — с трудом сдерживаясь, пробормотал Хрусталев.

— Опять не попал! — визгливо рассмеялся Цанин и зажал рукой правый бок. — Я срать с тобой рядом не сяду, вот так-то! А ты: «Издеваешься»... Велика честь! Идите, товарищ, вы меня от дел отвлекаете!

Хрусталев вышел, плотно прикрыв за собой дверь.

На «Мосфильме» только и разговору было о том, что фильм Федора Кривицкого «Девушка и бригадир» положили на полку, но виноват во всем Мячин, который слишком уж увлекается разными голливудскими штучками и превратил добротную советскую комедию в разнузданный балаган. Самого Кривицкого при этом зачем-то отозвали в Италию, и с ним поехал директор «Мосфильма» Семен Васильевич Пронин, которого по пустякам никогда никуда не отзывают.

Там, в этой Италии, наверное, что-то наклевывается. Намекали на то, что Софи Лорен очень уж расположилась к Федору Андреичу и мечтает сниматься только у него. Не успели переварить эти новости, как нахлынули другие: Сашу Пичугина, обвиненного в педерастии, выпустили из КПЗ, и он женится на операторе Люсе Полыниной, поскольку у них большая, бурная любовь и Полынина ждет ребеночка. Эта новость оказалась, правда, не совсем точной, потому что ребеночка ждет, как выяснилось, Марьяна Пичугина, которая в субботу выходит замуж за изгадившего весь фильм Егора Мячина, и свадьбу играют в «стекляшке». А Полынина выходит за Сашу двумя или тремя днями позже, но где будет свадьба, никто не знает.

В «стекляшке» собралось столько гостей, что пришлось принести стулья со второго этажа. Невеста Марьяна Пичугина была чудо как хороша, хотя раздалась за последнее время, особенно в боках, и это ее немного портило. Платье, однако, сшитое ее родным братом Александром Пичугиным, скрадывало все недостатки фигуры будущей матери, а цвет платья был такой, что все ахнули.

— Нет, девочки, это не кремовый! — переговаривались гости. — Кремовый всегда розоватый чуть-чуть, а этот какой-то... Я даже не знаю...

В нем и голубой есть, и желтый, и белый! Все так перемешано!

Бабушка Зоя Владимировна держалась весело, но с достоинством. Она была в элегантном темно-сером брючном костюме, который очень шел ей, делал стройнее, моложе, а легкий макияж подчеркивал природную прелесть ее черт. Жених выглядел очень просто, даже без пиджака: нейлоновая белая рубашка с закатанными рукавами, черные брюки, остроносые ботинки. Он глаз не спускал со своей невесты, и лицо его то ослепляло собравшихся каким-то неистовым счастьем, то вдруг удивляло печальной растерянностью.

— Он ее, девочки, точно ревностью замучает! — шептались в веселой толпе. — Сейчас уже смотрит, как съесть ее хочет!

Аркаша Сомов, очень нарядный, в бабочке, как будто какой-нибудь конферансье, оглядывался, ища глазами недавно забеременевшую от него сотрудницу «Мосфильма» Нюсю, в то время как его крепко держала под руку тоже очень нарядная, с высоким начесом, законная жена Наталья, которую все звали просто Татой. Люся Полынина, переплетя пальцы правой руки с пальцами левой руки Саши Пичугина, казалась еще счастливее невесты. Красное платье, в котором ее, правда, некоторые уже видели, изменило Люсину внешность до неузнаваемости, а ярко накрашенные ресницы и алая помада делали ее похожей на Мерлин Монро, но только в профиль и на некотором расстоянии. Что касается Саши Пичугина, так весь «Мосфильм» давно привык к тому, что Саша Пичугин вечно разыгрывает из себя какого-то Гамлета, хотя от его тоненького, как ниточка, жемчужного пробора в прилизанных волосах и темных загадочных глаз, на дне которых плавала тихая грусть, просто было не оторваться. Руслан Убыткин, крутившийся здесь же, на свадьбе, старался к Саше не приближаться, так что для многих это и было прямым доказательством того, что Убыткин спьяну оговорил Пичугина и теперь стыдится.

Веселились до двух часов ночи. Кричали «горько» так, что «текляшка» чуть не лопнула. Танцевали и твист, и танго, и старинный фокстрот, и рок-н-рол, и даже забытую *русскую* кадриль, в которой отличились двое: Аркаша Сомов и Регина Марковна, все время хохотавшая во время пляски и махавшая своим капроновым бантом на манер платочка. В час Марьяна выскользнула в уборную и долго умывалась там холодной водой, смывая остатки косметики и всхлипывая. Она сама не знала, отчего это все текут и текут слезы. Все было хорошо: она вышла замуж за самого смешного на свете, талантливого, без памяти любящего ее человека, а о том, что было раньше, нужно поскорее забыть. Забыть, как она стояла под проливным дождем на остановке, и пахло персидской сиренью, и вдруг притормозил этот красный «Москвич», приоткрылась дверца, и голос, от которого у нее похолодели руки, сказал ей негромко:

— Идите сюда! Идите, идите! Ведь вы же промокли!

Забыть! Все забыть. И то, как он разыскал ее в общежитии университета, где она отплясывала твист с каким-то очкариком, и, увидев его в дверях, спокойного, насмешливого, она случайно наступила на ногу этому очкарику, и он слегка ойкнул от боли. Забыть поцелуи в машине, запах мокрой травы по утрам, который вливался в окно «Москвича», когда он отвозил ее, сонную, домой на Плющиху после ночи, во время которой они не сомкнули глаз, забыть его тяжелую ладонь на своем голом колене, и то, как эта ладонь скользила под платье, сжимала, ласкала... Она покраснела, вспомнив, как однажды они возвращались утром с Мосфильмовской, и он, как обычно, держал руку на ее колене и, как обычно, неторопливо начал подбираться повыше, а рядом, на светофоре, остановился высокий грузовик, и водитель, немолодой, с зажатой в углу рта папиросой, углядел это из своего окошка, хмыкнул и показал большой палец.

Она насухо вытерла глаза носовым платком, достала пудреницу, внимательно посмотрела в зеркало на свои щеки — все в легких веснушках, и тут в уборную влетела гримерша Лида, хорошенькая, с белоснежными кудряшками, со своим детским лицом, формой напоминающим «сердечко», и вдруг фамильярно-весело, с притворным раскаяньем сказала ей:

— Простите, Марьяна, я правда не знала!

— Чего вы не знали? — спросила Марьяна.

— Ой! Ну, Егор же мне не сообщил, что вы ему так нравитесь, что он даже жениться надумает!

— Что значит «надумает»? Вы здесь при чем? Лида опустила наклеенные ресницы.

— Ах, он вам, значит, даже не сказал, что мы с ним прожили три дня... Даже три с половиной... Хотя это было давно. С неделю назад!

Она нашла в себе силы промолчать, защелкнула пудреницу и пошла обратно к гостям. Мячин шел навстречу.

— Где ты была? Я волновался.

Она ласково чмокнула его в щеку:

— В уборной была. Писать все время хочется. Это от беременности.

Он огненно покраснел.

— Егор! Ты же заметил, что я беременна, правда? Мы как-то не успели ни о чем толком поговорить... Но ты ведь заметил? Смотри, как я вся раздобрела! Хорошо хоть, что съемки успели закончить.

Она говорила весело, но глаза ее напряженно ловили его взгляд, и не было в них никакого веселья.

— Ребенок не твой. Понимаешь, Егор?

Он вдруг подхватил ее, оторвал от пола и поднял на руки.

— Я все понимаю! Молчи. Все отлично!

И внес ее в зал. Он шел к столу, по-прежнему держа ее на руках, лицо его покраснело от напряжения, лоб покрылся потом. Гости расступились и захлопали.

— Егор! — воскликнула Зоя Владимировна. — Ты с ума сошел! Надорвешься!

— Своя ноша не тянет, — ответил он.

Остановился и крепко пахнущими коньяком губами поцеловал Марьяну в шею и подбородок.

На рассвете, когда они лежали на Санчиной кровати в его маленькой комнате — Санча уже две недели как переехал к Полыниной, — Марьяна сказала негромко:

— Давай мы никогда не будем ничего скрывать друг от друга.

— Давай, — ответил он. — Но так не получится.

— Должно получиться, — сказала она. — Если мы вот прямо сейчас посмотрим друг на друга и поймем, что у нас нет никого ближе. Что мы не только муж и жена, а самые родные и важные друг другу люди. Что мы друзья с тобой. Нет, это не то слово! Что мы с тобой самые близкие и верные дружочки. Ты слышишь меня?

— Да, я слышу. — Он взял ее горячую руку и поцеловал запястье. — А я вот смотрю на твою руку и думаю, что ничего на свете нет красивее ее. Гляди: вот здесь родинка. Ты знаешь, что у тебя вот здесь родинка?

Она засмеялась чуть слышно.

— Конечно, я знаю. Еще бы не знать!

— Но ты же не знаешь, как это красиво. Такая вот белая кожа с почти незаметным пушком. И черная родинка. Очень красиво!

Она осторожно вытерла мокрые глаза о его плечо.

— Ну, что ты все плачешь? Не плачь. Все отлично.

— Я думаю: как я рожу его? Как...

— Отлично родишь! Мы с ним будем кататься на санках. Я санки люблю.

— Какой ты смешной. Ты ужасно смешной!

— И пусть. А женат на красавице! А эти, которые, ну, не смешные, они на уродках женаты. Их жалко.

Глава 23

В воскресенье город запестрел афишами. На фоне золотых стогов, широко расставив ноги в начищенных сапогах, стоял синеглазый Вася с гармонью, а на него с двух сторон выглядывали из-за стволов Ирина и Маруся. Хмурый Михаил сидел на обочине, пожевывая травинку. Новая кинокомедия Федора Кривицкого и Егора Мячина «Девушка и бригадир» вышла на все экраны. Аркаша Сомов, который в восемь часов утра плелся сдавать бутылки из-под выпитых за неделю винно-водочных изделий, не поверил глазам и кротко решил про себя, что погубила его все-таки проклятая водяра: вот и галлюцинации начались. Он протер глаза и, не выдержав, сиплым голосом спросил у проходящего мимо интеллигентного, с теннисной ракеткой в руках молодого человека:

— Кино, что ли, новое?

Молодой человек небрежно взглянул на афишу:

— Да, вроде кино. Дешевка какая-то!

— Как называется? — не отставал Сомов.

Молодой человек подозрительно посмотрел на него.

— Я, это... очки позабыл. Близорукость!

— «Девушка и бригадир» называется, — ответил теннисист и пошел дальше, помахивая ракеткой.

Забыв про бутылки, Аркаша рысцой припустился домой и тут же разбудил Тату. Через час вся съемочная группа узнала счастливую новость. Но как? Почему разрешили? Почему не сказали заранее? На эти вопросы не было ответа. Целое воскресенье волновались и перезванивались. Когда Пронин с Кривицким вернутся из Италии, будет, наверное, показ в Доме кино, интервью, ответы, вопросы.

А в понедельник случилось неожиданное. В утреннем выпуске «Комсомольской правды» появилась статья, подписанная никому не известным Виталием Рокотичем. Написана она была не слишком художественно, но хлестко и называлась: «Подонок за спиной у отца». Если верить Виталию Рокотичу, сын одного известного конструктора, Виктор Крусталев, оператор на «Мосфильме», спрятался за спиной у своего отца и целый год мыл котел в конструкторской столовой, а весь его класс пошел на фронт, и ни один из его бывших соучеников с фронта не вернулся.

Очень дерзким и смачным языком было описано, как наложивший от страха в штаны юноша приходит к своему перегруженному государственными делами отцу и, плача, говорит ему, что на войне убивают. На что отец горестно разводит руками. Но юноша, которому безразлична судьба его Родины, начинает умолять отца помочь ему получить бронь, и отец наконец сдается. Счастливый будущий оператор Крусталев бросается отцу на шею и, дрыгая ногами в воздухе, благодарит его. Поскольку никакого образования, кроме десятилетки, у молодого Крусталева не было, ему и пришлось идти в столовую судомойкой. Но тут уж отец изловчился: не уточняя, кем именно работает в конструкторском бюро его слабохарактерный сын, он позвонил в военкомат, назвал себя и помог драгоценному недорослю получить бронь. Вслед за изложенным сюжетом шли бурные обвинения в адрес и того, и другого, а молодого Крусталева, скрывшего ото всех свое грязное прошлое, обвиняли даже в том, что, не имея никакого таланта, он хитрой змеей пролез на «Мосфильм», заручился доверием ведущих режиссеров страны и стал оператором десятка отечественных фильмов. Фильмы перечислялись тут же. Но поскольку Виталий Рокотич всем сердцем любил работы народного артиста СССР, лауреата всех премий режиссера Федора Андреевича Кривицкого, он желал успеха его последней, только вчера вышедшей на экраны столицы комедии «Девушка и бригадир» и сетовал на то, что и в этом фильме подонок Виктор Крусталев числится оператором.

Два человека прочитали эту статью рано утром и почти одновременно: Сергей Викторович Хрусталев, который всегда просматривал за кофе свежую прессу, и его тринадцатилетняя внучка Ася, ежедневно пробегающая глазами вынутые из ящика газеты, пока автобус вез ее в школу.

Сергей Викторович побледнел и сказал своей жене Нине, что плохо себя чувствует и на работу не поедет. Нина, тихо шевеля губами, прочла зловещий фельетон и в страхе опустилась на стул.

— Они добрались до тебя, — сказала Нина, и крупные слезы потекли из ее бархатных глаз. — Ведь ты говорил сам: «Они доберутся!»

— Да, — пробормотал он. — Но странно. Кого же они решили посадить на мое место?

— Может быть, лучше Стасика к маме в Ереван отправить? — робко спросила она. — Спокойнее все-таки...

— Нина! Что ты ерунду говоришь! При чем здесь Стасик!

— Сережа! Откуда я знаю? Ведь ждать от них можно всего!

Муж замахал руками, чтобы она замолчала, и набрал телефон сына.

— Садись в машину, — коротко приказал он. — И приезжай.

— Ну, дай я хоть кофе-то выпью, — злым и заспанным голосом попросил сын.

— Здесь выпьешь.

Через двадцать минут Хрусталев позвонил в дверь. Отец молча протянул ему газету. Хрусталев читал, и лицо его менялось.

— Что скажешь? — спросил отец.

— Прости меня, вот что.

— Ты здесь ни при чем, — ровным безжизненным голосом ответил отец. — Я знал, что под меня подкапываются. Давно чувствовал. Им нужен был какой-то благовидный предлог, чтобы сбросить меня на пенсию. Кому-то я, видимо, сильно мешаю... Или, может быть, «там» начались какие-то перестановки и кто-то наверху хочет посадить вместо меня своего человека. Да... Тайна, покрытая мраком...

— Ты думаешь, что все это — предлог? — Сын взглядом указал на газету.

— Конечно, предлог. Шитый белыми нитками. Я мог бы им показать выписку из твоей медицинской карты: у тебя было «ползучее», как говорят врачи, воспаление легких. Ты выздоравливал на две-три недели и снова заболевал. Это помимо того, что мама слегла после Колиной смерти, и, если бы что-то случилось с тобой, она и не поднялась бы. Ну, что вспоминать! Ты лучше расскажи всю эту историю со следователем. А то Инга мне тогда объясняла что-то, но весьма невнятно.

— С какого момента тебе рассказать?

— С самого начала.

И он рассказал. Про то, как они с Паршиным пили двое суток, про их ссору на подоконнике, про вызов в прокуратуру и про то, как его заставили читать стихи, чтобы записать голос. Потом он рассказал, как Инга придумала ход, чтобы вытащить его, и вытащила с помощью адвоката и ловкого Будника. Дойдя до пощечины Цанину, он остановился.

— Дальше можешь не продолжать, — перебил его отец. — Он пришел на студию, чтобы спровоцировать тебя на скандал. А ты, кстати, не проанализировал, откуда он мог знать про твою бронь? Ведь ты говоришь, что именно в трусости он и уличил тебя при всех? И только после этого ты ему врезал по морде?

— Я как-то не подумал, откуда он мог узнать. Я тогда вообще ничего не соображал.

— Вот то-то и оно. Они внимательно полистали твою биографию, прежде чем выбрали этот сценарий. И остановились на самом выразительном моменте. Теперь мы с тобой — два подонка. В глазах абсолютно всего человечества.

Он криво усмехнулся.

— Раньше они состряпали бы мне какой-нибудь шпионаж в пользу английской разведки, и поехал бы я на Колыму вшей кормить, а теперь — нельзя. Нужно красиво, убедительно. Чтоб в горле щипало.

— Ты думаешь, Цанин все знал?

— Всего никто не знает. Но его, я думаю, предупредили, и он получил кое-какие инструкции. Сначала пытались тебя подцепить на убийстве, но тут моя умная невестка им помешала. Гениальный, между прочим, придумала ход! Опереточный! Вот что значит настоящая актриса! Пришлось тебя отпустить. Они и отпустили, но не до конца. Начали копать дальше. Что бы еще такое вытащить? И тут мы с тобой им потрафили.

— Прости меня, — снова сказал Хрусталев.

— И ты меня тоже прости, — отозвался отец. — Что ты думаешь делать?

— Меня, конечно, выкинут с «Мосфильма». Ну и черт с ним! Поеду к Петьке в Одессу. Буду снимать на Одесской киностудии. Там много хороших людей. Хуциев, Муратова.

— А с дочерью как же?

— Захочет, приедет ко мне. Не захочет, буду забирать ее на каникулы.

— Опять раздерете девчонку на части. Она у вас золото. Чистое зо...

Он не договорил. Раздался телефонный звонок, и перепуганная Нина вошла в комнату.

— Сережа, тебя.

— Слушаю, — спокойно сказал отец.

Хрусталев увидел, как он сначала апоплексически покраснел всем лицом, потом краска схлынула, обозначились черные с сизым подглазья, а руки задрожали. В трубке что-то говорили и слегка покашливали, а отец не произносил ни слова и слушал. Потом он так же спокойно сказал:

— Я понял.

И отдал трубку Нине, которая положила ее на рычаг.

— Я, оказывается, со вчерашнего вечера освобожден от занимаемой должности. Все дела переданы моему заместителю.

— Ты как себя чувствуешь? — спросил его сын. — Врача не позвать?

— Нормально я чувствую. Как в песне поется? «К врачам обращаться не стану»... Ну ладно, иди. Вроде поговорили.

По дороге Хрусталев остановился на Пушкинской, зашел в пивной бар, который в народе называли то «Яма», то «Пушка», расположенный в сводчатом подвале старого дома, заказал себе две кружки пива, сильно разбавленного, но холодного, медленно выпил и, чувствуя, как начинает кружиться голова, поехал на «Мосфильм». Вахтерша посмотрела на него подозрительно, не поздоровалась, а долго и внимательно вертела в пухлых руках его пропуск, хотя знала Хрусталева уже лет десять. В коридоре на него налетел Сомов.

— Слушай! Там все просто ходуном ходит! Все орут, как белены объелись! Я им говорю: «Подождите орать, Витька придет — разберемся!» Куда там! Орут!

Он отодвинул Сомова и вошел в павильон. Регина Марковна с разгневанным красным лицом поднялась ему навстречу.

— А мой-то, — с горечью сказала она Хрусталеву, — мой-то обе ноги на войне потерял! Что же это получается? Его покалечили, а тебе наплевать?

— Регина, подожди! — вмешался Сомов. — Пусть Витька нам объяснит! Бывают же разные обстоятельства...

— Не буду я вам ничего объяснять, — сказал он и сам услышал, что голос его прозвучал так же безжизненно и ровно, как голос отца. — Не ваше дело.

— Витя, это не разговор! — пробасил Будник. — Фельетон, конечно, довольно мерзко написан, но от того, сколько в нем правды, зависит не только твоя работа, но и наша тоже. Ты всех нас подставил.

— Мы с вами больше вместе не работаем.

Он заметил, что в павильоне не было ни Марьяны, ни Егора, ни Пичугина. Люся была, но сидела с отсутствующим, поблекшим лицом, опять в своей детской ковбоечке, и курила.

— Я подаю заявление об уходе, — тем же голосом сказал Хрусталев. — Счастливо вам всем оставаться.

Заявление он написал тут же и оставил его в приемной Пронина, находящегося, как известно, в Италии. Дома достал записную книжку, отыскал Петькин телефон, и через пару часов телефонистка соединила его с Одесской киностудией.

— Да знаю я все! — вместо «здравствуй» сказал Петька. — Все уже прочитали.

— Ты меня только ни о чем не спрашивай, хорошо? — грубо оборвал его Хрусталев. — Можешь помочь мне к вам устроиться — спасибо, не можешь — буду искать другие варианты.

— Это, интересно, какие? Дворником, что ли, пойдешь?

— Могу и дворником.

— Да брось ты! — И Петька понизил голос: — Я уже с Марленом посоветовался. Он, кстати, тоже не воевал. По состоянию здоровья. — И тут же перевел разговор, смял последнюю фразу: — Короче: собирайся и приезжай. На месте придумаем. Без работы не останешься. Кира за тебя руками и ногами. К ней тут тоже слегка прислушиваются, больно уж талантливая.

Они попрощались. Хрусталев вдруг почувствовал смертельную усталось. Руки и ноги налились свинцом, затылок гудел. Он откупорил бутылку коньяка и лег. Но в дверь застучали. Его слегка удивило, что в дверь именно застучали, а не позвонили, хотя звонок работал. Он встал и открыл. За дверью стояла его дочь, лохматая и зареванная, с потрепанным портфелем с одной руке и мокрой от дождя косынкой в другой.

— Это правда? — спросила она, глядя на него с ужасом.

— Что «правда»? — спросил он устало.

— Что ты... — Она задохнулась. — Что ты просто струсил?

— Нет, это неправда, — сказал он поспешно. И вдруг ощутил, что стоит как будто над пропастью и, стоит ему сделать одно неловкое движение, сорвется и погибнет.

— Тогда объясни мне! — вскричала она. — Ведь ты мой отец! Я же верю тебе!

Он заметил, что она сказала «верю», а не «верила», и сердце его горячо и благодарно забилось.

— Понимаешь, — пробормотал он, — все на свете происходит не просто так, а «зачем-то». Это очень трудно объяснить. Если я тогда совершил какую-то непоправимую ошибку, то это тоже было «зачем-то». Затем, например, чтобы на этом свете появилась ты.

Она опустила голову.

— Папа, — прошептала она. — Мне нужно подумать. Мне нужно обо всем самой подумать и во всем разобраться!

— Аська, я через несколько дней еду в Одессу. Меня вроде бы берут работать на Одесскую киностудию.

— А я тогда как же? — Она исподлобья посмотрела на него.

— Ты будешь приезжать ко мне на каникулы.

— Ты с мамой не хочешь проститься? — спросила она.

— Как мама? — не отвечая на ее вопрос, пробормотал он.

— Она нарасхват. Ей все время звонят. То для «Советского экрана» фотографируют, то интервью какие-то берут.

— Ну, я очень рад за нее.

— Ты там не забудешь про нас?

Он прижал к себе ее растрепанную, мокрую от дождя голову.

Вечером позвонил Мячин.

— Не разбудил? — спросил он. — У тебя голос сонный.

— Это только молодожены в десять часов спать ложатся.

Мячин не ответил. Повисла короткая пауза.

— Егор, ты зачем позвонил?

— Что будет с нашим фильмом, Хрусталев? С нашим *главным* фильмом?

— Сделаешь без меня. Теперь, после «Девушки и бригадира», тебе наверняка во всем пойдут навстречу.

— Нет, это не вариант, — отрезал Мячин. — Паршин завещал свой сценарий мне и тебе. Без тебя я к нему не притронусь.

— Как хочешь, — сказал Хрусталев. — Давай на пари? Ты еще сто раз изменишь свое решение. Притронешься, да еще как!

— Давай на пари. Только ты проиграешь.

— Да я уж и так все давно проиграл!

— Ты не из тех, которые проигрывают *все*, — вдруг сказал Мячин. — Ты из тех, у которых всегда остается в кармане запасная копейка. На случай. И ты это знаешь.

— Твоими устами... — пробормотал Хрусталев. — Твоими устами бы мед пить, Егор.

Ночью ему приснилась мама. Она была худой, хрупкой и очень похожей на Асю. Они с Хрусталевым поднимались по крутой лестнице. Мама задыхалась, все время останавливалась, крепко сжимая рукой его руку.

— Сходи на пруд, а? — вдруг сказала она. — Там рыбы полно. Мы уху сварили бы.

— Но папа не любит уху, — заметил он и вдруг увидел, как мама стареет прямо на глазах. Она быстро уменьшилась в размере, волосы у нее поседели, а лицо покрылось густой сетью морщин.

— Вот видишь? — сказала она. — Тебя ни о чем нельзя попросить... А Сережа пошел бы сразу. Я в этом уверена.

Глава 24

Федор Андреич Кривицкий и Семен Васильевич Пронин вернулись в Москву вечером в воскресенье. Время, проведенное вместе в прекрасной Италии, сблизило их настолько, что они ни разу не поругались за всю поездку.

— Ух, холод какой! — поежился Пронин, дожидаясь служебной машины. — У нас-то, в Венеции, лето, а тут!

— А в Риме? — всполошился Кривицкий. — А в Риме не лето?

— И в Риме, конечно. Но мне уж Венеция больно понравилась!

— А бабы у нас покрасивее будут, — с гордостью возразил Кривицкий. — Соскучился я без своей, не могу! Там вроде бы не вспоминал ее даже, а как приземлились, так сразу соскучился.

Две машины подъехали одновременно.

— Ну, ладно, бывай! — засмеялся Пронин. — Завтра увидимся.

Истосковавшийся по семье Федор Андреич резво взбежал по ступенькам и позвонил в дверь своего загородного дома. По дороге он успел заметить, что почти все деревья облетели, птицы замолкли и вообще пора перебираться в город. Открыла домработница.

— С приездом вас, Федор Андреич! Не шумите только. Надежда Петровна Машеньку укачивает. Зубки у нас режутся, вчера всю ночь не спали.

— Придет серенький волчок, — услышал Кривицкий Надин голос, — схватит Машу за бочок... Баю-баюшки-баю, не ложися на краю...

Умиление охватило его.

«В гостях хорошо, а дома лучше», — подумал он и на цыпочках пошел в детскую.

Надя услышала его шаги, обернулась и просияла.

— Вернулся, господи! — прошептала она. — Две минуты подожди, уже засыпает...

Она стояла, наклонившись над детской коляской, и слегка покачивала ее.

— Ни за что в кроватке не заснет! — еле слышно объяснила она Кривицкому. — Упрямая, Федя, вся в тебя!

Ужинали на кухне. Кривицкий рассказывал, захлебываясь. Надя слушала, открыв рот.

— Каждый день мы с Лукино в новый ресторан ходили! Он мне говорит: «Я тебе, Тео, должен успеть все лучшие рестораны в Риме показать! Чтоб ты все попробовал!»

— Чего у них там пробовать? — искренне удивилась жена. — Я в «Домовой книге» посмотрела: одна лапша!

Кривицкий не стал даже спорить.

— Одно тебе, Надя, скажу: красиво они загнивают! Да, чуть не забыл! Я же тебе подарок привез! Шикарный! Говорю Лукино: «Что ты мне посоветуешь? Нужно жене подарок купить, а я в магазинах-то в ваших ничего не понимаю. Размеры другие и все тут другое. Он говорит: «Ты, Тео, не волнуйся, мои девочки все купят. Только опиши им свою супругу».

— Это еще что за девочки такие? — нахмурилась Надя. — Откуда там девочки?

— Да у него на студии этих девочек крутится, не пересчитаешь! Одна за юбки отвечает, другая за кофты, третья маэстро сок со льдом подает! На широкую ногу, Надя, загнивают! Одно, знаешь, слово: Висконти! Ну, я тебя описал этим девочкам, и вот, Надя, что они купили, гляди!

Кривицкий протянул жене большой целлофановый пакет, красиво перевязанный шелковой лентой.

— Я уж и развязывать не стал, потому что потом так обратно не завяжешь. Ну, иди скорее, примеряй!

Вся зардевшаяся от радости Надя Кривицкая убежала в спальню, а муж, пользуясь ее отсутствием, быстро налил себе коньячку из давно и надежно припрятанной в кухне за шкафом бутылки.

Через десять минут она вернулась.

— Красиво, а, Феденька?

У Федора Андреича отвисла челюсть. Жена стояла перед ним в коротеньком, всю ее обтянувшем черном платье, из откровенного выреза которого вываливались наружу огромные белые груди, предназначенные совсем не для того, чтобы на них пялились посторонние мужики, а лишь для того, чтобы выкормить и поставить на ноги их единственную дочь Машу, задняя нижняя часть цветущего Надиного тела в результате все того же бесстыдного обтягивания показалась Федору Андреичу не только больше в полтора, по крайней мере, раза, но и совершенно другой формы, сильно напоминающей лошадиный круп; полные ноги ярко белели сквозь крупную черную сетку чулок, а в руках, единственным украшением которых было массивное, вдавленное в мякоть безымянного пальца обручальное кольцо, Надя держала крошечную лакированную сумочку на золотой цепочке.

Кривицкий медленно поднялся со стула, медленно подошел к своей супруге, вынул из ее рук лакированную сумочку и бросил ее на пол, потом очень тихо, но грозно сказал:

— Считай, что я, Надя, тебя не заметил. Что не было этого вот... развращения. И все. И забудем об этом. Ты слышишь? Ведь я объяснял тебе: женщина-мать и женщина... Помнишь? Вот так. Раздевайся!

Надя Кривицкая со страхом посмотрела на его посеревшее лицо, поняла, что дело дрянь, и побежала обратно в комнату переодеваться.

Ирина Муравьева _____

— Ой, Федя! — прокричала она из спальни. —
Я же тебе главного не рассказала!

— Куда уж главнее! — скрипнул зубами Кривицкий. — Меня чуть инфаркт не хватил!

Вернувшись из спальни в своем обычном
скромном платьице, Надя протянула ему газету
с нашумевшей статьей Виталия Рокотича «Подонок за спиной у отца». Кривицкий изменился
в лице.

— Откуда взялась эта сволочь?

— А я тебе, Феденька, всегда говорила, что мне
этот Виктор не нравится!

— Да я не о Викторе, я о Рокотиче! Скотина
продажная!

Жена захлопала ресницами:

— Ну, тут все написано, Феденька! Что ты?

— Иди, Надя, спать, я попозже приду.

Недоумевая и огорчаясь, Надя Кривицкая
уплыла в спальню, а Федор Андреич схватил трубку и набрал Пронина.

— Не спишь, Семен Васильевич? — приглушенно спросил он.

— Заснешь тут! — так же приглушенно ответил
Пронин. — Все настроение насмарку!

— Что будем с Виктором делать? Лучший оператор на студии!

280

— А вот об этом, — с нажимом сказал Пронин, — мы с тобой завтра утром поговорим. Не по телефону.

Утренний разговор был коротким.

— Он уже уволился, твой Хрусталев. Он у нас больше не работает. И правильно сделал.

— А дальше-то что? — угрюмо спросил Кривицкий.

— Мне тут с Одесской киностудии звонили. Спрашивали, какой он оператор. Я сказал, что оператор он первоклассный. А остальное, сам понимаешь, мы обсуждать не стали. Так что пусть едет в Одессу. Для всех это выход.

Поезд Москва — Одесса отходил с четвертой платформы. На Киевском вокзале было, как всегда, не протолкнуться, но легкий, прозрачный снег, внезапно слетевший с высокого неба, украсил собою и эту суету, и бестолково бегущих, толкающих друг друга, огрызающихся друг на друга людей, и груды наваленных на тележки чемоданов, и пропотевшие спины носильщиков, и обреченно готовые к длинной дороге вагоны, за грязными окошками которых мелькали руки, головы, плечи, воротники и шляпы. Хрусталев стоял на подножке своего десятого вагона и курил. Толстая веселая проводница с флажком в обветренной руке подмигнула ему:

— Поедем сейчас с ветерком! Не грусти! Небось ждешь кого?

— Да нет. Уже попрощался со всеми. Давно.

Вчера вечером позвонил Федор и пожелал счастливого пути. Предложил денег:

— Мало ли какие будут расходы на первых порах...

Он поблагодарил и отказался.

— Скоро увидимся, — сказал Кривицкий. — Не беспокойся за Ингу с Аськой. Ты знаешь: всегда, чем могу...

Инга тоже позвонила.

— Аська тебе «Наполеон» испекла. Сейчас привезет, уже уехала. Ты ее подбодри, если можно. А то она ходит сама не своя.

Аська приехала с коробкой из-под куклы, в которой лежал кусками нарезанный «Наполеон».

— Я тебя заберу к себе на весенние каникулы, — сказал Хрусталев. — Будем с тобой гулять вдоль моря. Тебе понравится.

Она закусила губу и посмотрела на него исподлобья заплаканными глазами.

— Можно я тебя завтра провожу на вокзале? — спросила она.

— Не нужно. Вокзал — это шумное, глупое место. Тебя затолкают.

Сейчас он курил и смотрел, как прозрачный снег становится гуще, словно пытается скрыть от него знакомые очертания родного города, который он покидал навсегда. И вдруг в этом снеге он увидел знакомую грациозную фигурку, уже располневшую от беременности, и сердце его дико застучало. Марьяна торопилась к его поезду под руку с Александром Пичугиным, который нес в другой руке небольшой чемодан. Они поровнялись с Хрусталевым и оба замерли.

— Кто из нас уезжает? — насмешливо спросил Хрусталев, боясь, что они услышат, как сильно стучит его сердце.

— Я, — смущенно, но твердо ответил Пичугин. — Меня ваш друг Петр, с которым я у вас тогда познакомился, приглашает к себе художником по костюмам.

— А как же невеста? — спросил Хрусталев и сразу же пожалел о своем вопросе.

Пичугин покраснел и, не отвечая, поставил ногу на подножку. Проводница проштамповала его билет.

— Подожди меня здесь, мартышка, — сказал он сестре. — Я чемодан поставлю и сразу вернусь. У нас еще десять минут.

Хрусталев спрыгнул на платформу и башмаком погасил окурок. Она стояла совсем близко от него и смотрела на него своими ясными, полными слез глазами.

— Ну, видишь, как все получилось, — сказал он негромко.

— Да, вижу, — ответила она.

Тогда он наклонился и поцеловал ее.

— Поедем со мной.

— Я замужем, Витя.

Он не мог смотреть на то, как дрожат ее губы. Она повторила:

— Ты слышишь? Я замужем.

Повернулась и, так и не дождавшись Пичугина, быстро пошла к выходу из этого огромного, забеленного снегом вокзала. Он смотрел, как она идет, не оглядываясь, уходит от него и уносит в своем теле их ребенка, торопится, как будто боится, что не справится с собой, вернется или вдруг закричит громко, на весь вокзал, от той же самой боли, которую чувствовал сейчас и он и от которой ему тоже хотелось кричать.

Проводница взмахнула флажком. Поезд медленно и словно неохотно тронулся и начал дробно постукивать колесами. Проводница поднесла к уху транзистор.

— Люблю я эту песню! — сказала она. — Погромче сейчас сделаю. Ты, парень, послушай!

Мягкий и, как показалось Хрусталеву, знакомый женский голос запел с чуть заметным гру-
зинским акцентом:

> *Не уезжай, ты мой голубчик!*
> *Печально жить мне без тебя.*
> *Дай на прощанье обещанье,*
> *Что не забудешь ты меня...*

Литературно-художественное издание

ОТТЕПЕЛЬ. КИНОРОМАН

Муравьева Ирина

**ОТТЕПЕЛЬ
ИНЕЕМ ДУШИ ТВОЕЙ КОСНУСЬ**

Ответственный редактор *О. Аминова*
Редактор *Е. Варванина*
Младший редактор *О. Крылова*
Художественный редактор *А. Стариков*
Технический редактор *О. Лёвкин*
Компьютерная верстка *Г. Клочкова*
Корректор *О. Степанова*

ООО «Издательство «Эксмо»
123308, Москва, ул. Зорге, д. 1. Тел. 8 (495) 411-68-86, 8 (495) 956-39-21.
Home page: **www.eksmo.ru**   E-mail: **info@eksmo.ru**

Өндіруші: «ЭКСМО» АҚБ Баспасы, 123308, Мәскеу, Ресей, Зорге көшесі, 1 үй.
Тел. 8 (495) 411-68-86, 8 (495) 956-39-21
Home page: www.eksmo.ru   E-mail: info@eksmo.ru.
Тауар белгісі: «Эксмо»
Қазақстан Республикасында дистрибьютор және өнім бойынша
арыз-талаптарды қабылдаушының
өкілі «РДЦ-Алматы» ЖШС, Алматы қ., Домбровский көш., 3«а», литер Б, офис 1.
Тел.: 8 (727) 2 51 59 89,90,91,92, факс: 8 (727) 251 58 12 вн. 107; E-mail: RDC-Almaty@eksmo.kz
Өнімнің жарамдылық мерзімі шектелмеген.
Сертификация туралы ақпарат сайтта: www.eksmo.ru/certification

Сведения о подтверждении соответствия издания согласно
законодательству РФ о техническом регулировании можно
получить по адресу: http://eksmo.ru/certification/

Өндірген мемлекет Ресей:
Сертификация қарастырылмаған

Подписано в печать 15.10.2014. Формат 80x108 $^1/_{32}$.
Гарнитура «Ньютон». Печать офсетная. Усл. печ. л. 14,4.
Тираж 6 500 экз. Заказ № 7461

Отпечатано с готовых файлов заказчика
в ОАО «Первая Образцовая типография»,
филиал «УЛЬЯНОВСКИЙ ДОМ ПЕЧАТИ»
432980, г. Ульяновск, ул. Гончарова, 14

ISBN 978-5-699-76717-5

16+